DIMANCHES

ET JOURS DE FÊTES

DU MÊME AUTEUR

Le carnet de table, Le Loup de Gouttière, 1997

Quoi ? Les objets du passé, Le Loup de Gouttière, 1995

La boîte avec le carré parfait, Le Loup de Gouttière, 1995

Nous remercions le Conseil des Arts du Canada ainsi que la Société de développement des entreprises culturelles du Québec (SODEC) pour l'aide accordée à notre programme de publication. Nous reconnaissons l'aide financière du gouvernement du Canada par l'entremise du Programme d'aide au développement de l'industrie de l'édition (PADIE) pour nos activités d'édition.

Le Loup de Gouttière
347, rue Saint-Paul
Québec (Québec)
G1K 3X1
Téléphone : (418) 694-2224
Télécopieur : (418) 694-2225
Courriel : loupgout@videotron.ca

Dépôt légal, 4e trimestre 2000
Bibliothèque nationale du Québec
Bibliothèque nationale du Canada
ISBN 2-89529-019-9
Imprimé au Québec

René Jacob

DIMANCHES ET JOURS DE FÊTES

RÉCITS

Illustrations Clémence DesRochers

Le Loup de Gouttière

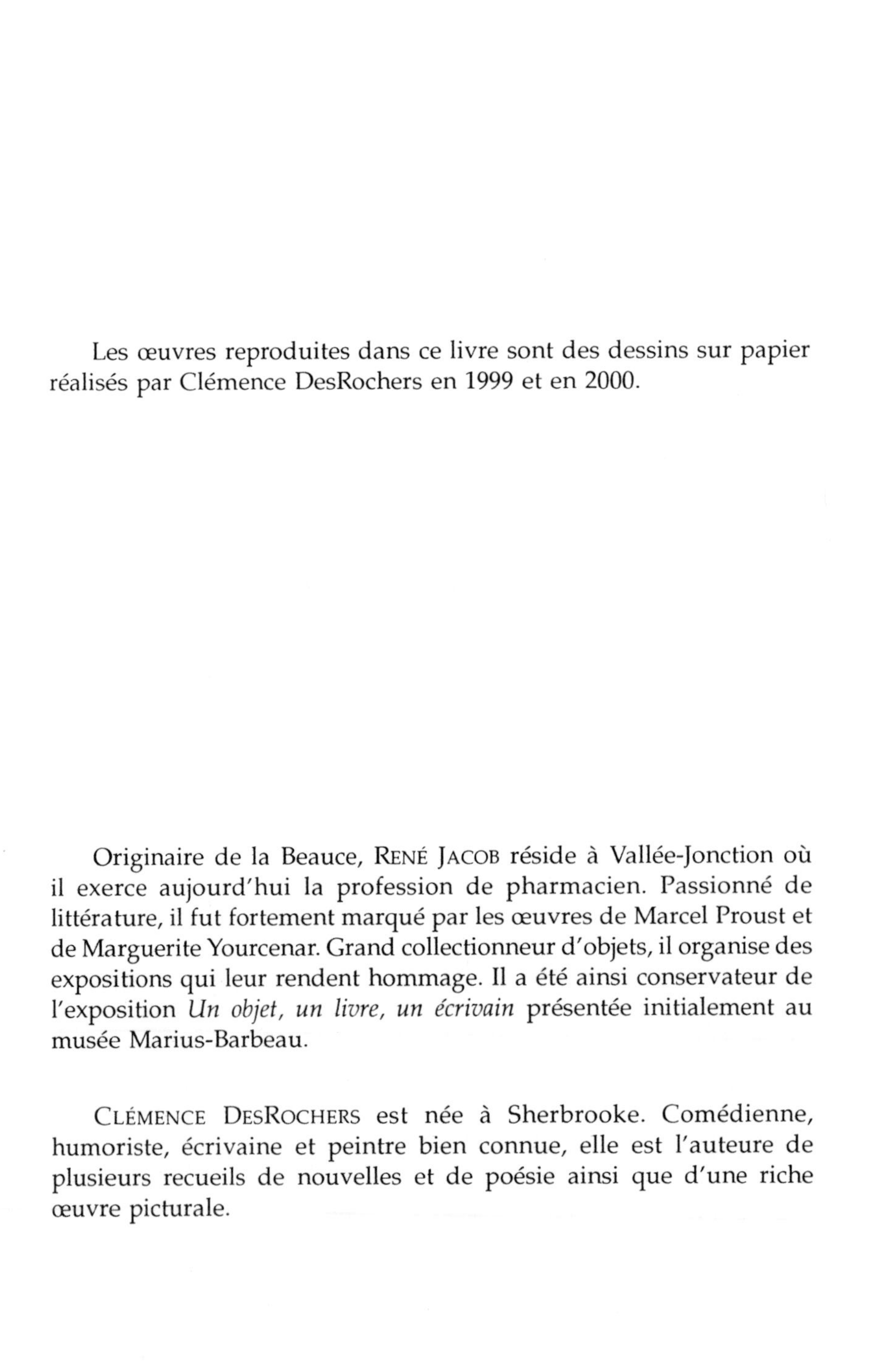

Les œuvres reproduites dans ce livre sont des dessins sur papier réalisés par Clémence DesRochers en 1999 et en 2000.

Originaire de la Beauce, René Jacob réside à Vallée-Jonction où il exerce aujourd'hui la profession de pharmacien. Passionné de littérature, il fut fortement marqué par les œuvres de Marcel Proust et de Marguerite Yourcenar. Grand collectionneur d'objets, il organise des expositions qui leur rendent hommage. Il a été ainsi conservateur de l'exposition *Un objet, un livre, un écrivain* présentée initialement au musée Marius-Barbeau.

Clémence DesRochers est née à Sherbrooke. Comédienne, humoriste, écrivaine et peintre bien connue, elle est l'auteure de plusieurs recueils de nouvelles et de poésie ainsi que d'une riche œuvre picturale.

PRÉFACE

Tu me fascines, toi le pharmacien de Vallée-Jonction, qui soignes son enfance, qui construis des petites maisons dans ta cour, une pour ton fils, une pour ta fille, mais c'est toi surtout qui les habites.

Amoureux de beaux objets, de littérature, de Monet, tu prépares le thé avec de la vaisselle aux couleurs de Giverny, des scones, des sandwichs aux concombres finement coupés.

À ceux que tu aimes, tu offres des poupées, des Tintin, des sculptures naïves, tu donnes l'enfance que tu n'as jamais quittée.

Derrière ton comptoir, tu joues au pharmacien; dans la petite maison où tu écris, tu ne joues pas à l'écrivain, tu en es un vrai.

Clémence DesRochers

L'AUBERGE DU VILLAGE

Si je m'agenouille devant le sapin de Noël de mon enfance, dans le salon aux tentures de velours et aux portes coulissantes en verre givré, et que je m'amuse à faire l'inventaire de toute la panoplie des objets qui formaient le village au pied de la crèche, un objet, entre tous, me conduit sur la route grise du passé: l'auberge du village. Il me suffit aujourd'hui de mettre sur le phono le disque *Meilleurs Vœux* de Lucien Hétu pour retrouver tous les gestes de ma sœur Lise ouvrant l'immense boîte en carton qui les contenait, cachée par mon père dans le grenier de la petite maison, d'un Noël à un autre, d'une fête à l'autre.

Je revois d'abord les grands carrés de coton ouaté placés sur le dessus de la boîte aux trésors. Lise préférait l'effet de neige à la masse minérale du papier rocher, trop loin de notre paysage de Vallée-Jonction, entouré de buttes de sable et de gravillons. Pour monter le village de Noël, Lise soumettait les boîtes à un agencement précis, dont elle seule, la grande sœur, semblait avoir la recette. Avec minutie, elle les replaçait d'année en année aux mêmes endroits. Les mêmes collines, les mêmes reliefs, les mêmes refrains.

Je revois les mains de ma sœur Lise sortir d'une boîte de produits Watkins les sapins miniatures qui allaient entourer les maisons du village. Le voisin du bout de la rue, un monsieur Cloutier, vendait par les portes des produits de nettoyage de marque Watkins ; ma mère, économe, n'en achetait pas, mais prenait soin de se faire réserver les boîtes vides. Les petits sapins sans résine et sans aiguilles avaient bonne mine, épargnés par la poussière, toujours aussi verts d'une année à l'autre, montrant leurs pieds ronds comme un vingt-cinq cents de bois, tantôt vert lime, tantôt rouge framboise. Ma sœur les alignait sur la table du salon dans un désordre sage tout autour du service à thé en argent, cadeau de noces de mes parents, reçu de la tante Edwidge et de l'oncle Henri. Deux groupes de trois sapins se retrouveraient à chaque extrémité du village pour en marquer les bornes. Les autres, une vingtaine, orneraient les façades des maisons.

Lucien Hétu jouait ses *Meilleurs Vœux* à l'orgue Rialto de Gulbransen et, pendant l'étourdissant *Quand il neige,* Lise ouvrait la boîte contenant un cadeau que ma sœur Odette avait reçu de l'oncle Antoine pour ses dix ans. Lise, à l'époque, l'avait aussitôt confisqué pour la décoration de la crèche du salon. Il s'agissait d'une église blanche en matière plastique avec un toit rouge, un jouet musical et lumineux. À cette époque, nul enfant ne pouvait rêver avoir plus beau cadeau. Les fenêtres de la boîte musicale, avec leurs vitres peintes de losanges de couleur, ressemblaient à s'y méprendre aux vitraux de l'église de notre village.

La mise en place des maisons autour de la petite église obéissait à un cérémonial capricieux. Les décorations du sapin intervenaient ici : par leurs couleurs, elles donnaient le ton au paysage qu'elles abritaient. Sous la cloche turquoise, la maison jaune ; sous la théière rouge, le cottage brun ; sous les cornets en carton aux reflets métalliques, la maison blanche et rose au toit crénelé. Des feuilles de mica bleues comme la nuit, saupoudrées de poussières

Un des Noël de René

d'étoiles, tenaient lieu de rideaux aux fenêtres des maisons en carton-pâte.

Pour délimiter les rues dans un espace blanc, notre urbaniste avait recours à un jouet d'un autre membre de la famille. Les clôtures du ranch d'un de mes frères furent ainsi réquisitionnées. Lise tournait alors le disque. Aux premiers accords du *Noël blanc* arrivait le temps sacré d'installer les personnages de la crèche : deux Rois mages devant l'église ; un troisième en retrait ; un berger semblant sortir d'une maison vert forêt, à l'arrière du paysage ; un autre s'agenouillant au pied de la crèche, levant les yeux pour regarder au loin sa maison natale.

Enfin, *Mon Noël d'enfant* me ramène au moment où ma sœur Lise, de sa main gauche, réajustait ses lunettes pour observer le travail accompli. Trois boîtes restaient à ouvrir. De la première sortiraient des moutons. Sept en tout. Quatre à la boucle rose. Trois à la boucle bleue. De la deuxième, enroulés dans de la ouate jaunie, surgiraient Marie, Joseph, Jésus, le bœuf et l'âne.

Tout au fond, se cachait la boîte contenant l'auberge du village.

Construite de carton-pâte comme les autres maisons, l'auberge constituait cependant le seul bâtiment à deux étages, un escalier extérieur conduisant à un balcon carré et à une porte fermée. Une enseigne illisible aurait dû indiquer le nom du gîte qui, par sa dimension, ne pouvait contenir plus de trois chambres. Le fabricant y avait ajouté une femme, une statuette de plomb, collée au balcon qui se prolongeait en une galerie couverte tout le long de la façade. La femme en noir se tenait prête à ouvrir une porte pourtant close à jamais. L'auberge à la couleur vieux rose et au toit orangé me faisait de l'effet. Étalée sur la ouate blanche du village, appuyée contre la draperie que les branches plongeantes du sapin formaient derrière elle, elle cachait tout son mystère. Je savais que Joseph, Marie et Jésus avaient gravi son escalier, attendant une réponse de l'aubergiste. Il leur avait bêtement dit non. Ils avaient peut-être en redescendant rencontré la femme en noir qui était maintenant collée pour l'éternité sur un balcon, transformée comme la femme de Loth en statue de sel. J'aurais tant voulu qu'il y ait une chambre dans l'auberge à la porte et aux fenêtres fermées, pour Joseph et Marie, pour l'Enfant Jésus.

Les maisons du village aux fenêtres en mica égaient encore le sapin de mon enfance, mais l'auberge, elle, est à jamais disparue. Je crois que la boîte aux trésors de Noël s'est ouverte une bonne année, laissant malheureusement échapper le rêve d'un enfant.

Deux minutes encore avec Lucien Hétu à l'orgue. Lui seul peut ouvrir une dernière fois mes paupières sur l'auberge à jamais perdue.

LA CRÈCHE DE BERNARDIN

Marion, ma fille, n'était pas encore née. Mon cousin Bernardin, qui demeurait à quelques kilomètres de chez moi, se présenta à ma pharmacie un bon matin du mois d'octobre 1985, me demandant tout bonnement un tube d'antiphlogistine RUBA.535. Zelpha, son épouse, avait mal au dos. Je lui offris de le lui donner en échange d'un Jésus en bois qu'il sculpterait pour notre nouvel enfant qui naîtrait en novembre.

De mon cousin, je ne connaissais alors que peu de choses. Il était né dans la maison que j'habite et que j'avais achetée de sa mère, ma marraine, la tante Éliane. Il dormait dans la chambre que François, mon fils, occupe aujourd'hui. Bernardin s'était marié sur le tard avec une jeune fille dont le prénom, Zelpha, était aussi original que le cousin lui-même. Il avait tout vendu, poste d'essence et maison sur la Côte-Nord, pour venir s'installer dans une maison mobile à Frampton dans la Beauce. Artiste sans le savoir, il exécutait de temps en temps une sculpture inuit en pierre à savon, qu'il vendait à des passants ou à des brocanteurs, et avait peint un jour un tableau naïf représentant l'église Notre-Dame-des-Victoires, dont la facture singulière rappelait les oeuvres de De Chirico.

Bernardin, en riant, acquiesça à ma demande. Il partit avec un tube d'antiphlogistine, en pensant au Jésus de bois qu'il me sculpterait et qui serait sa première vraie sculpture naïve. Saurait-il comment s'y prendre? Chose certaine, il avait en mémoire la crèche de la tante Éliane dont nous avions hérité avec la maison. Les personnages en plâtre en provenance d'Italie, achetés par la tante dans une procure ecclésiastique, mimaient les couleurs d'une fresque de Giotto à Assise. Ils en reproduisaient aussi les simples gestes. Il pourrait s'en inspirer.

Le Jésus de bois arriva peu de temps après la naissance de Marion, vers la fin du mois de novembre. Il était, vous le devinez, au-delà de mes espoirs. Comme un chant de Noël sculpté, l'enfant, dans ses langes, souriait. Bernardin avait même peint la paille de la mangeoire avec un jaune semblable à ceux qu'emploie Van Gogh. Le premier morceau était déjà une œuvre de maître.

Je m'empressai de lui commander pour Noël un Joseph et une Marie, un bœuf et un âne. Il accepta. Il eut l'idée de les revêtir d'un tissu, de les habiller en quelque sorte, me proposant même une visite dans les rayons du magasin *Bouclair*; parmi les rouleaux de coupons, j'aurais pu trouver un tissu qui, par sa texture et son ton, aurait donné un style particulier à la crèche. Mais je voulais que le seul style possible fût celui de mon cousin. Je ne voulais pas imposer à Joseph une chemise à carreaux rouges et noirs, une chemise de bûcheron pour faire canadien; pas plus qu'à la Sainte Vierge, j'aurais pu imposer un châle qui aurait convenu à Maria Chapdelaine. Je voulais éviter une piste traditionnelle qui m'aurait conduit à une version beauceronne des santons de Charlevoix.

Je pensai aux vêtements que nous ne portions plus et qui, habillant ces petits personnages, nous ramèneraient chaque année les souvenirs de nos années passées. La

Sainte Vierge se retrouva habillée avec les morceaux d'un tailleur Thierry Mugler. Comment deviner que la madone en bois au pied du sapin portait la découpe géométrique d'un vêtement acheté Place des Victoires, à Paris ? Marie ne s'en tirait pas mal. Joseph, pour sa part, portait du Versace. En fait, un pan de manteau provenant d'une veste de soirée du couturier italien. Quant à l'âne, il avait sur le dos le cuir d'une jupe de l'Anglaise Jane Muir. Le bœuf se contentait de deux sacs à main, l'un, un Mondi en beige, l'autre, un Courrèges en brun. J'avais rejeté la toile *monogan* de Louis Vuitton, dont l'allure et le parfum ne convenaient pas à la décoration de l'étable. Notre crèche avalait notre passé.

D'année en année, la vie continua. Les fêtes faisaient leurs rondes. Moi, je n'avais cesse de demander de nouvelles créations à mon cousin. Ainsi, utilisant une couverture en laine de Saint-Séverin provenant du coffre d'espérance de ma grand-mère Clara, il réalisa tout un troupeau de moutons, vingt-trois exactement, dans des poses diverses. J'ai retrouvé leur équivalence bien des années plus tard dans l'œuvre de Stephan Balkenhol, *Cinquante-sept manchots*. Je redécouvrais toutes les postures que Bernardin avait imaginées pour ses moutons : broutant, levant la tête à gauche, levant la tête à droite, se couchant, gardant la tête droite.

Les objets racontent une histoire. Les moutons s'en vont adorer le Jésus de la crèche. Mais la présence répétée du même mouton dans toutes ses variations n'épuise pas l'idée de la sculpture. Elle la rend différente et la multiplicité crée une autre œuvre. C'est ainsi que Bernardin fit son entrée chez les antiquaires de la rue Saint-Paul à Québec. Cela devait arriver un jour ou l'autre. Un *piqueur* (en fait, un brocanteur passant par les portes) surprit l'artisan en train de fabriquer un mouton en position couchée. Il acheta l'objet. Mon cousin ne me révéla pas tout de suite la vente. Un jeudi soir, ayant rendez-vous avec des amis pour un souper dans un restaurant du Vieux-Port de Québec, je vis, dans la vitrine d'un antiquaire, un mouton semblable à ceux de ma crèche, avec une étiquette et un prix accolés à l'oreille. C'est ainsi que la couverture en laine de ma grand-mère passa dans le domaine des ventes publiques.

Les moutons se vendaient bien. Les antiquaires se décidèrent à commander des oiseaux. J'héritai de quelques geais bleus. La ménagerie de l'artiste augmentait. L'idée d'une crèche pour Marion demeurait cependant unique. Comme on offre une perle à un enfant à chaque anniversaire, je voulais pour Marion un personnage nouveau chaque Noël. Il y en eut plusieurs.

Balthazar est en Fortuny de Venise; Melchior et Gaspard, en Missoni. Le chameau est recouvert d'une cape en laine Anastasia. Sur le pont de bois, un mage habillé en vert et or regarde les étoiles. La samaritaine à la robe rouge est à droite de l'étable, dans une clairière. Le pigeonnier de bois est rempli d'oiseaux miniaturisés : tourterelle, perdrix, gros-bec des pins. Sur l'âne à la robe de bois peinte en gris, une Arlésienne. D'Arles, la femme a oublié bien des choses. Elle porte des escarpins coupés dans une retaille de cuir verni noir de la *Valley Shoe* et sa robe en tissu éponge couleur marron avec des coutures à l'envers évoque le nom de Sonia Rykiel.

Bernardin, avec tes lunettes fumées portées même les jours de pluie, tu ressemblais à Philippe Noiret. Tu étais notre Picasso de Noël, notre Calder de la crèche, le facteur qui nous apportait des bouts de bois devenus couleurs. Chaque Noël me ramène à ton précieux souvenir.

NILS HOLGERSSON

Plusieurs années après que Nils Holgersson eût traversé le grand pays de la Suède avec les oies sauvages vivait à Uppsala un étudiant courageux. Cet étudiant était un de mes amis. Il ne connaissait rien de Selma Lagerlöf et presque rien de la Suède, à l'exception de cette chambre dans une ville étrangère où la vie l'avait mené. L'automne avait dû être long, seul dans un pays que la noirceur allait bientôt totalement recouvrir. Décembre arriverait, et cette année-là, mon ami Claude reviendrait dans la Beauce pour Noël.

Au milieu de ses études de doctorat, Claude avait quitté l'université de Berkeley, à l'est de la baie de San Francisco, le temps d'un stage de trois mois à Uppsala en Suède. Il devait y rencontrer des gens intéressants et parfaire sa formation avant la rédaction de sa thèse qui devait porter sur un aspect particulier de la politique forestière québécoise.

Mieux vaut bûcher au maximum pour n'avoir rien à se reprocher ensuite, écrit, moralisatrice, Selma Lagerlöf. Claude, sans le savoir, avait suivi ce conseil. Très jeune, il s'était dit qu'il serait infiniment savant et il y avait travaillé sans cesse. Moi, je l'avais connu au Petit Séminaire de Saint-Georges. Nous bûchions ensemble. Et, pour nous souvenir, nous notions dans un carnet noir les heures étudiées. Nous les cumulions comme des victoires successives sur le temps. J'ai perdu ce carnet. Quelqu'un le retrouvera peut-être un jour.

De ce côté-ci de l'océan, un petit garçon appelé François, mon fils, connaissait à peine cet ami dont la tête était toujours dans les livres. Octobre et novembre de cette année-là, François regardait à la télévision un dessin animé sur la saga de Nils Holgersson. Il retrouvait chaque semaine Nils, le petit garçon, les oies sauvages et le grand pays de la Suède. La trame musicale nous emportait et nous imaginions Selma, sur la chaise berçante de notre cuisine, raconter à François toutes ses aventures, ouvrant le livre *Le Merveilleux Voyage de Nils Holgersson à travers la Suède*, reprenant chaque semaine une nouvelle page de l'histoire qui nous faisait rêver des horizons nordiques.

Un bon dimanche, vers le milieu de novembre, j'écrivis à Claude pour lui demander de me ramener un souvenir qui évoquerait la saga de Nils. Peu de temps après, deux semaines tout au plus, Claude me fit parvenir une carte postale représentant le Gustavianium, le plus ancien bâtiment de l'université d'Uppsala. Une carte où en cinq lignes, il écrivit d'une main large: «J'ai visité le théâtre anatomique d'Olof Rudbeck. En entrant dans une librairie d'Uppsala, j'ai trouvé une cassette racontant l'histoire de Nils Holgersson tel que tu me l'avais demandé. Au plaisir de te voir à Noël. Claude.» La signature de la carte à elle seule prenait la moitié de l'espace.

Nous aurions enfin, éternelle, la musique qui accompagnait les dessins animés. Cela serait, pour François, le plus merveilleux cadeau de Noël.

Décembre arriva. François ouvrait chaque jour les portes de son calendrier de l'avent. Nous n'avions plus de nouvelles de Claude et de la Suède. Le 24 au matin, François ouvrit la dernière petite fenêtre de son calendrier : une oie en plein vol ressemblant à Akka, dans le récit de Selma Lagerlöf. Le soir même, Claude sonna à la porte. Il m'apportait, avant de se rendre pour Noël chez ses parents à Saint-Georges-de-Beauce, la cassette de Nils Holgersson bien emballée. Notre ami avait prolongé son séjour en Europe par une semaine de vacances à Paris. En quelques mots, fondant comme la neige sur ses bottes, s'écoula son récit des dernières semaines : la Sainte-Lucie qu'il avait passée en Suède, au treizième jour de décembre lorsque la ville est pleine de lumière et que les jeunes filles coiffées de couronnes distribuent des gâteaux parfumés aux épices ; la remise des prix Nobel à Stockholm à laquelle il avait été invité, en qualité d'étudiant étranger ; et la crèche vivante qu'il avait pu admirer à la porte de Notre-Dame de Paris.

Je tenais dans mes mains la petite boîte carrée contenant *Le Merveilleux Voyage de Nils Holgersson à travers la Suède*. Moi aussi, en écoutant Claude, je devenais Nils sur le dos d'Akka, regardant les chameaux et les Rois mages devant Notre-Dame de Paris, contemplant la Santa Lucia de Stockholm, entrant dans la salle du Palais pour apercevoir le visage du lauréat du prix Nobel.

À mon tour, je lui remis un cadeau, une crèche de Noël avec Jésus, Marie et Joseph, le bœuf et l'âne. Une crèche faite à la main par mon cousin Bernardin. Enfin, Claude me remit une autre boîte que je m'empressai de déballer. C'était le traditionnel bouc en paille tressée avec des rubans rouge et vert, symboles de vie, que l'on retrouve dans les foyers suédois. Puis, il partit.

La musique du dessin animé emplissait ma tête. Je dépouillai la cassette de son cellophane, la fit glisser dans le tiroir du magnétophone pour écouter les mots et les sons qui venaient d'Uppsala. Cela commençait ainsi: *De bon ingel sot...* Sten Carlberg, le narrateur au nom étranger, racontait en suédois l'histoire intégrale du *Merveilleux Voyage de Nils Holgersson à travers la Suède*. Je l'écoutais, malgré tout, imaginant combien Claude avait dû se sentir loin de chez lui au contact de cette langue étrange.

Je n'ai jamais revu cet ami. La veille de Noël, j'ouvre pourtant encore la porte de notre maison au grand vent et je dis comme le père de Nils retrouvant l'enfant prodigue: «Entre! Entre! Sois le bienvenu.» Mais Claude ne vient plus.

L'étudiant d'Uppsala, né à Saint-Gédéon, qui parlait la langue de la forêt, qui s'inquiétait des maladies des arbres, est parti en plein vol. Il aurait aimé écrire une histoire de la Beauce évoquant toutes les beautés de son environnement, la rivière Chaudière qui chante au milieu, avec les secrets cachés au fond des terres à bois et des érablières.

Sur les ailes de mes mots, Claude, je te fais voyager. Noël te ramène chaque année à ma porte. Et je te dis encore merci.

LA DINDE DE LA *VALLEY SHOE*

L'histoire commence le 24 décembre 1963. Cette année-là, mon père travaillait encore à la *Valley Shoe,* la manufacture de chaussures de notre village. Samedi, veille de Noël, il allait continuer son labeur jusqu'à trois heures de l'après-midi. Son travail consistait essentiellement à *trimer des lisses,* un métier dont la définition échappait complètement à mon imagination d'enfant. Je ne voyais pas alors la confection des chaussures comme le résultat d'un travail à la chaîne. Elles me semblaient plutôt un produit unique comme sorti d'un moule à gâteau, que l'on se mettait ensuite dans les pieds.

Mon père travaillerait donc jusqu'à trois heures et il assisterait, une heure durant, au tirage des cadeaux de l'année. Cinq noms seraient pigés au sort parmi ceux des deux cent quarante-huit employés de la manufacture. Les cadeaux revenaient, invariables, d'année en année : une dinde, une couverture en tissu synthétique couleur bleu poudre avec une bordure en satin *gold,* un gâteau aux fruits Vachon, un billet de dix piastres et un billet de cinq piastres.

Monsieur Émilien Cliche, directeur et actionnaire de la *Valley Shoe,* présiderait au tirage des cadeaux. Bien que je ne l'aie jamais connu, je l'imagine pourtant, aujourd'hui, avec son apparence d'autrefois: un habit bleu marin à rayures larges, le sourire un peu narquois, le nez pointu toujours loin de l'odeur de la colle à chaussures, le pied confortable dans un soulier en cuir verni ramené d'un voyage à Rome ou à Milan, pigeant dans une boîte de la *Valley Shoe* les cinq noms des chanceux qui gagneraient un cadeau et, en prime, une poignée de main.

«Bonne chance!», avions-nous tous souhaité à papa le midi. «Même si tu ne gagneras pas encore cette année», avait sans doute pensé maman. L'heure du midi qui durait quarante minutes n'avait jamais été si bien remplie. Papa était arrivé à pied par un temps sec et froid à midi sept minutes. La Pontiac noire rangée dans le garage dès la première neige ne servait plus, à l'exception des visites du dimanche chez le grand-père Nadeau. Sept minutes pour traverser un paysage connu par cœur. Le foulard sur le nez pour ne pas geler, avec cette seule pensée: retrouver au plus vite la chaleur du poêle à bois. Madame Taxi Roy ou monsieur Florent Doyon marchait sûrement à côté de lui, laissant échapper un ou deux mots cernés de buée. Mais papa, ce midi-là, n'avait pas le temps d'écouter. La table de la cuisine était mise simplement, avec une nappe de coton imprimée pour les dîners de semaine. Quelques sandwichs au jambon étaient accompagnés d'un thé Orange Pekoe si faible que la goutte de lait ajoutée au breuvage lui donnait une teinte opaline identique à celle de la tasse qui le contenait. C'est que, par souci d'économie, ma mère utilisait d'un repas à l'autre le même sachet de thé, étirant miraculeusement sa durée de vie. Comme dessert, maman avait préparé des retailles d'un gâteau blanc qui servirait en soirée à la fabrication des mokas du réveillon, glacés généreusement d'un crèmage au beurre et nappés de confiture de petites fraises des champs.

À midi treize, mon père avait terminé son frugal repas, non sans avoir eu le temps de renverser une bonne grosse cuillerée de confiture, salissant la place qui lui était réservée. « On ne peut garder la nappe propre pour deux repas », avait maugréé maman. Puis, impatiente, elle s'était exclamé à brûle-pourpoint : « Qu'est-ce qu'on va faire avec la dinde si on la gagne ? À va-t'y loger dans le fourneau du poêle à bois ? »

Midi et quart. J'écoutais l'émission du père Noël à la radio. J'avais dix ans. Je ne saurais dire de quoi parlait le légendaire personnage. Une seule chose est certaine, il a nommé une fois le prénom d'un voisin. Ça m'a fait quelque chose. Il envoyait au petit Pierre, faisant rouler sa voix encore davantage, un magnifique album de Tintin en échange du beau dessin que le garçon lui avait fait parvenir. « Ah ! le chanceux. Si papa pouvait gagner la dinde ! »

« Est-ce qu'on a déjà gagné quelque chose ? », ai-je alors demandé. Maman et Lise répondirent que oui. La bonne fortune avait déjà frappé deux fois à la porte, et comme la chance suit parfois le hasard, les deux événements étaient arrivés un 24 décembre. Un 24 décembre comme aujourd'hui.

Ma mère se mit alors à raconter sa première et seule aventure avec la chance. Elle venait cette année-là d'accoucher de ma sœur Odette. Monsieur le curé avait organisé une kermesse dans la sacristie, profitant de la petite fête pour faire une vente de charité au profit des Missions. Tricots et bonbons, étoffes tissées et sucre à la crème, broderies et gâteaux, rien ne semblait tenter ma mère. Mais, assise sur une chaise en jonc qu'on avait installée sur une table, une poupée vêtue de rose, avec un manteau confectionné au crochet, s'offrait à tous les regards. Un tirage aurait lieu. Ma mère, Gertrude, éblouie par la beauté du poupon joufflu, acheta un billet, rêvant de gagner la poupée. Elle pourrait l'offrir à Lise ou à son bébé Odette, ou la garder pour elle. Ma mère imaginait déjà une place privilégiée dans un coin de sa chambre pour la poupée qui, sans appartenir à la grande famille des Armand Marseille ou des Jumeau, ressemblait à l'idée que l'on peut se faire d'un bébé rempli de joie de vivre. Et comme dans *Les Misérables* où la Cosette, imaginant le bonheur dans la robe rose de la poupée qu'un marchand avait étalée au passage, elle se répétait en rêve la phrase de Victor Hugo : *Comme elle doit être heureuse, cette poupée-là !* Elle se disait, en secret, dans l'adoration que suscitait en elle la poupée, qu'elle pourrait peut-être la gagner.

Le tirage eut lieu le 24 décembre d'une année que je n'ai pas connue, un peu avant la messe de minuit. Le curé sortit le billet portant le nom de ma mère. J'aime à penser ici qu'elle avait osé écrire « Gertrude » sur le bout de papier, mais je sais qu'elle avait dû se contenter de « madame Armand Jacob ». Elle nomma la poupée Henriette, prénom d'une nièce qu'elle chérissait. Le rêve de ma mère n'était pas tout à fait vain. Cousue d'arthrite aujourd'hui, Gertrude regarde encore dans sa chambre le petit être qui n'a pas changé, dans sa belle robe rose et son manteau assorti.

Lise, à son tour, raconta sa chance. Lorsqu'elle était en première année, il y avait dans la vitrine de chez *Jacob et Frères*, le magasin général du village, un petit cheval attelé à une voiture. C'était un cheval en tôle peinte, mouchetée de gris et de blanc. Une voiture noire, avec sur le siège des volutes rouges et dorées ressemblant à une broderie de Lesage, y était attachée. Le cheval et sa voiture formaient la monture idéale pour un enfant de sept ans. On les avait

Catinage II

exposés là, à la vue des passants, cadeau princier dont tout l'avenir tenait à un billet numéroté tiré au sort. Un cadeau, en somme, qui aurait pu orner la vitrine du magasin *Au Nain Bleu*, rue Saint-Honoré, à Paris.

Après chaque journée de classe, Lise faisait un détour sur sa route pour passer devant la vitrine de chez *Jacob et Frères* et contempler ainsi l'objet qui était entré dans ses rêves pour ne plus en sortir. Même les prières du soir, dans leur rayonnement lumineux, oubliaient un moment la Vierge bleue aux bras tendus pour laisser place à une supplique païenne: «Que j'aimerais gagner, ô Sainte Mère, le cheval et sa voiture.» Un soir, après le souper, bravant le froid et les rues vides, Lise s'échappa de la maison pour aller voir l'effet magique de la nuit sur le selky miniature, une dernière fois avant le grand jour du 24 décembre.

On ne sut pas la journée même le nom de l'heureux gagnant. Le cheval et la voiture demeurèrent dans la vitrine du magasin jusqu'après les fêtes de Noël, et même jusqu'après le jour de l'An. Le gagnant résidait peut-être à l'extérieur de notre village et il viendrait chercher l'objet de sa chance un bon matin. Toujours est-il qu'après la grand-messe d'un dimanche du mois de janvier, la cousine Marcienne, familièrement appelée Coco, accourut à la maison nous annoncer une nouvelle qui allait bouleverser notre journée et l'histoire de notre vie de famille. Le détenteur du numéro gagnant du cheval et de sa voiture ne s'étant pas présenté, on avait procédé après la messe à un second tirage dans la sacristie. Le numéro 186 était sorti. Lise, qui connaissait par cœur le numéro de ses rêves, poussa un cri de joie. La chance, une seconde fois, avait frappé à notre porte.

Pendant tout ce temps, papa n'écouta pas un mot de nos conversations. Il n'écouta ni le père Noël, ni l'histoire d'Henriette, la poupée rose, ni l'histoire du cheval et du selky miniatures. Il devait se dépêcher d'aller chercher dans le grenier de la petite maison, notre cuisine d'été, la grosse boîte de carton qui contenait toutes les décorations de Noël et l'autre boîte, plus petite, qui abritait la crèche au toit de paille. Papa les déposa dans le coin de la salle familiale, devant les portes coulissantes en verre givré du salon. Il était déjà temps de retourner à la *Valley Shoe*. Une dinde Butterball, installée dans le bureau d'un gérant de manufacture, appelait les ouvriers vers leurs trois dernières heures de travail.

Madame Taxi Roy, notre voisine, Marguerite de son prénom, rafla finalement la dinde du 24 décembre. Ma mère, perplexe, se demanda jusqu'au lendemain comment s'y prendrait Marguerite pour faire entrer la dinde dans son four trois fois plus petit que le nôtre. En fait, ma mère aurait été ennuyée d'avoir une aussi grosse volaille à faire cuire. Et que faire avec tous les restants ? « Tu te reprendras l'année prochaine », dit-elle finalement à mon père.

Les années ont passé. La *Valley Shoe* est fermée. Mon père a vendu le cheval et le selky miniatures à un antiquaire. Mais la poupée n'a pas vieilli. Henriette sourit encore à maman les 24 décembre. Elle connaît par cœur les histoires de dinde de la *Valley Shoe* et se trouve chanceuse d'être arrivée un jour dans notre maison. Moi, depuis, j'ai lu *Les Misérables* de Victor Hugo et sans arrêt je me répète la petite phrase pleine de promesses : *Comme elle doit être heureuse, cette poupée-là !*

OÙ IL N'EST PAS QUESTION D'AIMER NOËL

Nous sommes le 24 décembre 1966. Il fait au dehors un temps glacial. La journée dans la maison de la rue Turcotte s'écoule comme par les années passées, en préparatifs pour la grande fête de Noël qui commencera évidemment avec la messe de minuit, suivie du réveillon puis du dépouillement du sapin. La maison vivra du plaisir de la famille, des sept enfants réunis, sans autre invité qu'une voisine et amie d'Odette, Laure Cloutier. Après tout, Odette, jeune enseignante à l'école d'en haut, a bien le droit de recevoir une amie.

Les heures précédant minuit sont consacrées à l'emballage des cadeaux. Le poêle à bois dans la cuisine chauffe à plein régime. Malgré mes treize ans, je n'ai droit qu'au lit et à l'attente. Dans ma chambre, je tue le temps en m'amusant à reconnaître les bruits de la maison. J'entends distinctement dérouler le papier sur la table de la salle à manger, puis les coups des ciseaux qui taillent. Je compte les temps d'arrêt des ciseaux, leur respiration sur le morceau de papier. J'écoute le craquement sourd de la feuille que l'on plie, le chuintement du papier collant que l'on déroule. Je devine ainsi depuis mon refuge la grosseur du paquet emballé.

Encore dans la chambre, couché, les yeux baignant dans la nuit, j'entends tout à coup les voix de deux de mes frères. Comme une note de musique étouffée, le son du papier collant dans la salle à manger ne couvre pas tout à fait le bruit des pions sur l'échiquier installé dans la salle familiale. Tiens! Un bruit dans la cuisine. La porte du fourneau s'ouvre. Dans un autre coin de la maison, j'entends Denis qui fait glisser les portes coulissantes du salon, avant de s'installer au piano. Lise entonne *Notre divin maître* dans la salle à manger. Puis, le grincement de la porte de la cave se fait entendre, avec mon père qui remonte une pleine brassée de bûches. «J'ai peur d'en manquer», ponctue maman, pensant à son réveillon et aux petits pâtés à chauffer.

Maintenant, j'entends craquer le fauteuil berçant du salon. Paul, sûrement. Denis s'est mis à jouer au piano *D'où viens-tu bergère?* Lise répond: «Je viens de l'étable». Je reprends dans ma tête: «Je viens de la salle à manger». Paul tourne les pages d'un livre dont il lira des passages à Denis.

Tout à coup, je sombre dans le noir. Je voudrais que leurs allées et venues cessent de capter mon attention. Je me retourne complètement et je me cache la tête dans l'oreiller. Je ne veux plus rien savoir de Noël ni des cadeaux. Je ne veux plus écouter le bruit des papiers ni le bruit des choses.

Cette nuit-là, j'en décide ainsi, je ne descendrai pas fêter Noël. Je ne mangerai pas le pamplemousse coupé en deux avec la cerise maraschino qui m'écœure. Je n'ouvrirai pas la boîte contenant les chaussures achetées devant moi et pour moi chez *Johnny Beshro,* brun antique avec trois clous sur le devant, me rappelant les trois boutons que j'ai sur le menton et le front.

24 décembre 1966. Tu peux bien arriver, Noël. Je me terre dans ma chambre noire et je n'en bougerai pas. Et ce ne sont pas les « René, descends ! » qui me feront bouger d'un pouce. Je passerai la nuit couché, tout habillé. Les yeux rouges et bouffis. René, adolescent, écoutant malgré tout parfois sourdre un bruit au travers du plancher, le froissement d'une robe en taffetas, le bruissement d'un papier que l'on déplie, un « oh ! » émerveillé que je m'empresserai d'éteindre dans ma tête. J'ai résolu de me soustraire à l'animation de la fête, jouant le jeu d'une solitude qui seule peut peut-être leur laisser entendre que j'ai cessé d'être un enfant.

Noël au matin, je me réveille. Au pied de mon lit, Lise, ma sœur, a déposé sur le couvre-lit en chenille la boîte de chaussures emballée avec un cordon métallique et le petit casse-noisettes vert de la cousine Henriette. Je me retournerai pour ne pas le regarder. Dans le miroir du chiffonnier en bois verni, l'image de la boîte me reviendra une autre fois.

Ce fut la première nuit de Noël de mon adolescence. Là où il n'était plus question d'aimer cette fête.

LA LUNE DANS LA MANCHE

Dans la maison ancestrale des Jacob, héritage du cadet, mon père, le jour de l'An demeurait la plus grande fête de l'année et je me contentais de regarder, enfant, le spectacle de la fête. Mon père reçut la mission de perpétuer cette tradition. De Rimouski à Sherbrooke, personne n'aurait voulu manquer la célébration de la première journée de l'année.

Moi, le petit René, au milieu de la fête, j'étais seul à savourer une enfance que tous auraient souhaité éternelle. Sept années me séparaient de mon frère le plus proche. Il en allait ainsi de quelques cousins et cousines, dont quelques-uns étaient transfigurés par une adolescence mystérieuse. Quant aux autres, leur âge se rapprochait davantage de celui de mon père que de mes sept ans.

Que j'aurais aimé participer aux jeux traditionnels du jour de l'An: clairon du roi, chaise honteuse, chaise musicale, panier-fruitier, jeu de la bouteille, ciseaux croisés-décroisés! On aurait cru que le monde autour de moi m'était interdit. Une bonne année, tante Éliane, ma marraine, leva l'interdiction en proposant enfin à son filleul une activité: « Voudrais-tu, René, voir la lune dans une manche d'habit? »

L'invitation fut acceptée avec d'autant plus d'excitation que, oisif, les genoux usant le velours vert d'un récamier du salon, j'en étais réduit à compter des yeux les chevreuils d'un tableau représentant une scène de chasse que j'exécrais.

La tante Éliane m'entraîna alors dans la salle à manger. Nous y trouverions le calme propice à l'observation. Au salon, mon frère Denis, en soutane, martelait sur le piano New Scale Williams un *Chevalier de la table ronde* que reprenait autour de lui un chœur de cousins et de cousines tenant dans les mains une tulipe remplie de *Cin-Jeannot*, le vin de cerises de mon père, ainsi baptisé par la cousine Coco. Ce vocable lui conférait le prestige d'une appellation contrôlée, du moins pour notre famille. Coco, la bouche ronde comme les *o* de son surnom, entonnait la rengaine.

Dans la cuisine, je croisai Lise et Odette affairées à monter les plats de hors-d'œuvre: Lise croquant un céleri frisé, Odette mordant un radis taillé comme une pierre précieuse. Ma mère, dans un geste rituel, ouvrait la porte de son fourneau pour y glisser une tôle pleine de petits pâtés à la viande, les comptant une première fois dans sa tête, puis une seconde fois, à voix haute. Une tôle en contenait douze. Il y avait quarante-huit invités. Il y aurait donc quatre tôles à glisser.

Je passai à côté des céleris et des radis, à côté de l'odeur de la viande et de la pâte, pour me rendre dans la salle à manger observer une lune que je connaissais peu. J'avais bien étudié dans le manuel scolaire intitulé *Connaissances usuelles* quelques notions sur la Lune. Je la savais satellite de la Terre. J'ignorais tout de sa face cachée. Cette manche d'habit que ma marraine me proposait comme outil d'observation, je l'imaginais semblable à une lunette de Galilée improvisée, grossissant de multiples fois la vision qu'on pouvait avoir du disque lunaire.

De la fenêtre de la salle à manger qui donnait sur le jardin gelé, j'aurais, avec les yeux de la manche d'habit, une vue imprenable sur l'astre mystérieux. J'avais tout à apprendre. Des aventures de Tintin dans *Objectif Lune*, je n'avais retenu que les couleurs des planches, de l'orange pour les costumes et du noir pour l'espace sidéral. Ni la fabrication de la fusée, ni l'allumage, ni même le principe de gravité, rien de ce genre n'était entré dans ma tête d'enfant. Et tante Éliane allait me projeter de la Terre à la Lune comme le héros d'un livre de Jules Verne.

Mon cousin Luc nous attendait avec l'habit-télescope. Il s'agissait en fait d'un veston de l'oncle Henri de Rimouski, un veston à rayures grises et blanches dont la doublure portait, sur la pochette intérieure, le monogramme brodé de l'oncle qu'on disait riche.

Luc précisa à la tante Éliane qu'il venait lui-même d'observer sur la Lune des choses étonnantes, qu'il avait très bien aperçu un cratère et une nappe d'eau et chuchota une phrase à peine audible qui renforçait le caractère mystérieux de l'observation à laquelle j'étais invité.

Je voulais voir à mon tour la Lune, découvrir réellement ce qui jusqu'alors ne m'était apparu que comme un drôle de personnage avec des yeux et une bouche. À la demande du cousin et de la tante, je penchai la tête pour regarder à l'intérieur de la manche du veston, braquée droit devant la fenêtre de la salle à manger.

Je communiais au plaisir de devenir une grande personne lorsqu'au bout de la manche, l'eau glacée d'un broc s'engouffra pour m'inonder le corps et l'âme. Depuis l'enfance, je venais d'être propulsé dans l'âge adulte.

LA COMPLAINTE DU JUIF ERRANT

Le premier janvier, dans la grande maison blanche et verte de la rue Turcotte, avec toute la famille, les frères et sœurs, les oncles et tantes réunis du côté du grand-père Jacob, on fêtait le jour de l'An des Jacob. Mais il y avait aussi, le 31 décembre, un autre jour de l'An qui se préparait au bout du village, avec toute la famille de ma mère réunie cette fois du côté de mon grand-père Nadeau.

La Pontiac noire nous emmenait en voyage, le long de la Chaudière, jusqu'à la maison à lucarnes du grand-père Nadeau. Mon père et ma mère s'assoyaient en avant, avec moi au milieu. Mes six frères et sœurs se trouvaient à l'arrière, dans l'habitacle givré par la nuit froide de décembre, sans confort et sans sécurité, protégés par leur seule insouciance. Mon oncle Arsène, marié à une sœur de maman prénommée Madeleine, conduisit un jour une voiture semblable à la nôtre lorsque, malencontreusement, la portière arrière s'ouvrit et qu'il perdit, en marche, un fils qu'il retrouva couché dans le fossé, sans égratignures, sans autre séquelle que la peur de la promenade chez le grand-père. Nous les retrouverions tous, les cousins, les cousines, les oncles et les tantes, pour cette dernière journée de l'année dans la maison au bout du village.

Grand-père s'appelait Arthur, mais comme les Arthur étaient nombreux et les Vital, le prénom de son père, l'étaient autant, il fallait nommer trois générations pour reconnaître notre grand-père. C'était *Arthur-à-Vital-à-Gapi*. Ses deux garçons, l'oncle Antoine et l'oncle Hermas, n'auraient plus le même problème, étant les seuls dans la descendance à porter ces noms.

La maison ancestrale serait pleine à craquer. Il y aurait le souper de famille. Puis la veillée où les voisins et les amis ainsi que la parenté plus éloignée s'ajouteraient à toute la maisonnée.

La table était mise pour les enfants dans une salle à manger au bout de la maison; les grands mangeaient dans la cuisine autour des tables aux panneaux allongés. Tout le monde avait droit à la soupe aux légumes, aux socs de lard, aux pièces de bœuf, au ragoût sans brun dans la vaisselle ancienne blanche, faïence anglaise aux épis de blé tantôt couchés, tantôt en gerbes. Il devait bien y avoir une trentaine de couverts dans le buffet en pin de la petite salle à manger, que les tantes s'affairaient à sortir sans relâche pour garnir les grandes tablées. Il y avait aussi tous les plats de service réservés au repas sacré du jour de l'An des Nadeau. Soupière et plateaux, légumes, raviers, grandes assiettes ovales sans autre décor que les épis de blé dansant sur la céramique blanche. La vaisselle de carton n'était pas encore inventée et on a beau aujourd'hui lui imaginer une poésie en la mariant avec des tableaux de Renoir ou de Monet, je ne l'aurais pas vue sur les tables de bois parées de nappes de lin.

Le souper terminé, les tantes s'empressaient de laver la vaisselle et de libérer les tables; les oncles plaçaient les chaises en rangées dans les deux grands salons qui s'empliraient de visite.

25 nov. 99.

Je les vois maintenant qui arrivent. Des voisins d'abord qui sont aussi des cousins. Puis la tante Aldhérie, la sœur du grand-père Arthur avec deux de ses filles, Cécile et Angéline, accompagnées de leurs maris et de leurs enfants. Les premiers vrais *étranges* à entrer dans la maison. Les six filles de mon oncle Hermas, en âge d'être belles, commencent à s'exciter. L'odeur des garçons emplit déjà le salon. Micheline a l'œil sur Jacques ; Solange, sur Yvon. Les six filles, dispersées un peu partout, assises sur les chaises de cuisine, sont autant de taches de couleurs aux quatre coins du salon. Toutes dans leurs robes en soie de chez *Balthazar Labbé*, elles attendent le bon *parti*, prêtes à se marier, prêtes à dire le même oui que leurs lèvres tourmentées se sont exercées à répéter.

La tante Marguerite, tout à coup, se met à rire aux éclats. Ti-Jean Carignan, un cousin de ma mère, vient d'arriver comme à tous les jours de l'An avec ses deux frères, violoneux eux aussi, qu'on appelle les bessons. Ti-Jean ne sait pas qu'il jouera, un jour, avec Yehudi Menuhin. Il donne un bec à la tante Clara, ma grand-mère, et se met à pleurer en pensant à sa mère, morte.

Il commence à faire chaud dans le grand salon aux murs tapissés d'un papier vert forêt ; dans la cuisine, le poêle à bois chauffe au maximum. Un oncle parle des créditistes à mon oncle Antoine qui lui sert un verre de gin. Tout le monde veut faire son numéro. Ti-Jean Carignan interprète au violon un *reel* d'Irlande. Francine, une cousine de Saint-Agapit, un menuet de Bach au piano. Puis, quelqu'un frappe à la porte. C'est un quêteux. Grand-mère dit qu'on ne peut pas lui refuser l'aumône. Cela porterait malheur. Elle le fait entrer. Il a un bâton de bois usé. Elle le fait asseoir dans le coin du salon et lui demande tout simplement son nom.

– Je n'ai pas de nom. Je n'ai qu'un bâton. Je me promène de porte en porte.
– On ne vous avait jamais vu ici?
– Je n'y étais jamais passé.

Claudette, de chez mon oncle Hermas, danse avec un gars de Lauzon, un ami de la parenté. Elle a une robe rouge: une belle tache tourne dans le salon vert forêt.

– Tu danses bien, lui dit-elle.
– Toi itou, lui répond-il.

Puis ma tante Rita demande à grand-mère Clara de chanter une chanson. Grand-mère, petite, vêtue de noir, se lève. Elle se met à chanter une chanson apprise de sa mère, ayant comme titre *La complainte du Juif errant*. La chanson raconte l'histoire d'un Juif qui, pour avoir refusé à Jésus de s'arrêter devant sa maison, est contraint de parcourir le monde au fil des années, sans jamais recevoir le pardon de sa faute. Le quêteux au bâton de bois, en entendant la complainte, se met à pleurer.

N'êtes-vous point cet homme
De qui l'on parle tant
Que l'Écriture nomme
Isaac, Juif errant
De grâce dites-nous
Si c'est sûrement vous?

Alors, pour lui faire plaisir, grand-mère entonne d'une voix triste et lointaine un ultime couplet appris de sa mère et dont le souvenir lui revient. C'est la fin de la chanson.

Nous n'avons malheureusement pas enregistré la grand-mère chantant la complainte triste et lointaine. Et lorsque d'un œil amical mon aïeule m'a regardé, enfant, j'ai su qu'à mon tour, un jour, je serais Jacob, un Juif errant.

LE VOYAGE DES ROIS MAGES

Du temps de mon enfance, qui n'est pourtant pas si loin, nul enfant de mon village n'aurait su répondre à la simple question: «Quels sont les noms des Rois mages?» À l'école, le professeur se contentait de nous demander plutôt: «Combien y avait-il de Rois mages venus adorer l'Enfant Jésus?» L'élève qui s'aventurait à lever la main pour risquer le nombre trois était alors considéré comme le génie de la classe, le spécialiste de la crèche.

Pour ma part, si je m'étais fié à la crèche au pied de notre sapin, j'aurais répondu «deux» à la question, car à mes yeux, le vêtement du personnage en plâtre à gauche le plaçait définitivement dans le camp des bergers. En fait, il s'agissait bien de Balthazar dont le manteau rose et doré se décolorait pour laisser place à des surfaces brunâtres. Quant aux yeux sans vie, ils auraient été bien en peine de voir la moindre étoile dans le ciel. Lise, ma sœur, remédia une bonne année à ce problème en achetant au magasin *Laurentien* de Sainte-Marie un Balthazar au visage noir et reluisant, *made in Taiwan*. Il y aurait enfin au pied de notre sapin, dans le salon aux tentures rouges, trois Rois mages d'Orient arrivant à Bethléem.

Le Balthazar malade aboutit dans la poubelle de la cuisine. La benne à ordures qui avale et pétrit dans ses entrailles les morceaux du passé n'existait pas encore. C'est transporté dans la remorque du camion d'un monsieur Groleau, au milieu des déchets ordinaires, que notre Balthazar vint finir ses jours au dépotoir. À moins qu'un passant l'ait aimé et ramassé, lui redonnant une seconde vie.

Cette année-là, le curé Olivier fit venir le bedeau dans son presbytère au bout de notre rue et lui exposa sa requête: il voulait faire construire une crèche de Noël en contreplaqué pour décorer la façade de l'église. Il entendait y placer l'étable et tous les personnages principaux. Le bedeau réfléchit à la commande, puis se mit à la tâche, aidé des menuisiers du moulin d'Alphonse Cliche. La crèche serait prête l'année suivante. Il l'avait promis. Moi, j'aurais alors six ans et la crèche aurait douze pieds de hauteur.

L'année suivante, le samedi précédant le premier dimanche de l'avent, le bedeau s'affaira à tout préparer pour le spectacle du lendemain. Son œuvre ressemblait à ces crèches en carton des revues d'enfants, *Pom d'Api* ou *Okapi*, avec des personnages en deux dimensions mais tout en couleurs. Ni napolitaine ni provençale, sans ostentation, la crèche en contreplaqué du curé Olivier prenait toutefois une importance particulière. Elle invitait le passant à regarder cette nativité, à entrer dans l'église blanche aux carreaux d'amiante pour voir la fête à l'intérieur. Tels un néon ou une pancarte, telle la statue immense du Sacré-Cœur qui orne encore aujourd'hui le parterre de l'église et qui, en ouvrant les bras, murmure les mots inscrits sur le socle de granit: «Venez et entrez», la crèche muette semblait annoncer un événement. Qu'elle était belle au pied de l'église du village!

Le temps passa. Le 6 janvier au matin, à la grande surprise des paroissiens et du curé Olivier lui-même, le bedeau installa sur le côté droit de la crèche, vis-à-vis l'entrée de notre rue Turcotte, trois Rois mages et un chameau immense. Quelle fête pour les yeux! Nul écolier n'ignorait plus la réponse à la question du maître: «Combien y avait-il de Rois mages venus adorer l'Enfant Jésus?» Le chiffre trois apportait dans sa magie l'or, l'encens et la myrrhe.

Le lendemain matin, je m'en allais tout bonnement, avec mon amie Madeleine, acheter une boule de gomme à un sou chez l'épicier du coin. Repassant devant le tableau de bois, quelle ne fut pas ma surprise de voir que les personnages et le chameau avaient déjà disparu. «Que sont devenus les trois Rois mages?», demandai-je à Madeleine, pensant qu'elle aurait peut-être une réponse à ma question. Elle qui n'avait pas de crèche à la maison et ne connaissait rien de Balthazar, de Gaspard et de Melchior, me fit la réponse la plus étonnante que j'aie jamais reçue de ma vie: «Papa est parti ce matin les reconduire à Jérusalem.» Je l'ai crue. Le père de Madeleine était chauffeur de taxi. Son nom de famille était Roy. Son père avait donc le nom idéal pour s'occuper de la délégation des Rois mages venus passer une journée à Vallée-Jonction.

Sûrement content de la réponse de sa fille, le Taxi Roy, depuis ce jour, prend ses vacances la semaine suivant le 6 janvier, obligeant les gens sans automobile à se promener à pied dans le village, leur laissant croire qu'il est parti au pays d'Hérode.

Les temps ont bien changé. François et Marion, comme les autres enfants du village, connaissent depuis belle lurette l'existence des trois Rois mages. Michel Tournier, de surcroît, leur a appris qu'il y en aurait peut-être eu un quatrième. La crèche en contreplaqué du curé Olivier affronte toujours le vent d'hiver, mais les trois Rois mages et le chameau ne bougent plus le sept au matin. Les années passent et les Rois mages ont oublié, au fil des fêtes, leur long et merveilleux voyage à Jérusalem... en taxi.

MARDI GRAS PERDU ET RETROUVÉ

Parmi les fêtes de mon enfance, il en est une dont je me souviens avec nostalgie puisque la fête fut oubliée au profit de l'Halloween. C'est entre ma génération et celle de mes enfants que nous avons perdu l'habitude et le plaisir de fêter le Mardi gras.

Il avait lieu la veille du mercredi des Cendres, qui marquait la dernière journée avant le début du carême, cette période de jeûne et de sacrifice que l'Église décida d'assouplir en réservant ce qu'on appelait le *maigre et jeûne* au mercredi des Cendres et au Vendredi saint. Le Mardi gras, le mercredi des Cendres, la mi-carême et le Vendredi saint sont des fêtes perdues à jamais au profit de Pâques, dont le sens est désormais enrobé d'une épaisse couche de chocolat.

Semblable à l'Halloween, notre Mardi gras permettait aux enfants de se promener costumés dans les rues du village pour ramasser bonbons et pommes avant d'aborder les quarante jours du carême.

Ma mère, suivant les dogmes d'une autre mère que l'Église catholique, avait adapté un peu l'observance du carême. Elle nous permettait chaque dimanche jusqu'à Pâques d'aller puiser une friandise dans notre récolte du

Mardi gras. C'est après la messe que le bonbon français (vert lime, raisin, violet ou rose criant) non emballé, le chocolat bonnet ou le bonbon brûlé se disputaient nos appétits. La pomme attirait moins notre convoitise.

Le Mardi gras était la seule fête de l'année où nous nous costumions, à l'exception de la mi-carême où nous ressortions nos accoutrements. Elle était à l'origine une forme de revanche sur la rigueur imposée par l'Église et gardait encore, au temps de mon enfance, une forme d'audace. Comme pour régénérer le monde des morts, nous montions au grenier afin de puiser à même les coffres d'anciens vêtements qui ne servaient plus à personne. Tous les enfants faisaient de même. Je n'ai jamais rencontré un *mardi-gras* déguisé en Séraphin Poudrier, en Donalda ou en Tintin. À l'exception d'une fois, je m'en souviens très bien, lorsque j'avais sept ans : j'avais croisé une jeune fille d'en haut de la côte déguisée en chatte, avec, pour cacher ses yeux, un domino noir. Son père, grossiste en alimentation, avait acheté le costume à Québec. Pauvre petite chatte perdue au milieu des morts-vivants.

J'imagine l'étonnement des propriétaires s'ils avaient pu revenir et rencontrer dans les rues, en ce soir du Mardi gras, des enfants portant leurs vêtements et leurs accessoires. Les jumeaux Maheux, morts depuis belle lurette, auraient revu leurs habits en drap noir, leurs cannes et leurs chapeaux melon ; le curé Turcotte, sa soutane noire et sa mitre ; la tante Lucina, sa robe violette qui lui donnait des allures d'Alice Toklas ; la grand-mère Zénaïde, son manteau de drap noir garni de pattes de vison. Auraient-ils souri aux éclats de rire sonores des enfants tenant dans leurs mains un sac rempli de bonbons, contents de ramener au pays des vivants les morts et leurs souvenirs ?

Indian Chief

Comment ma timidité d'alors osait-elle cette transgression insolente des rôles? Sûrement par le port du masque qui me rendait méconnaissable. Après l'école, ma mère me remettait un vingt-cinq cents et je courais chez *Oréna Hébert* ou chez *Jacob et Frères*, nos marchands d'alors, acheter un masque. Cochon, vache ou chien, la liste était courte. Le masque, fait d'un mélange de fibres chimiques et de carton, une fois attaché derrière nos oreilles, générait une chaleur qui nous maintenait dans un inconfort oppressant. Les trous des yeux et de la bouche étant mal ajustés à nos visages, je perçais à coups répétés de langue un orifice dans cette fibre de carton qui se défaisait en morceaux fades que j'avalais comme une sucrerie supplémentaire.

« Un bonbon par maison », telle était ma devise et mon ambition. Les mêmes maisons, les mêmes bonbons chaque année. Rien n'était plus merveilleux que de voir mon sac se remplir de délices. Mais au fil des haltes que je faisais, des rues du village que j'égrenais en épuisant la géographie de Vallée-Jonction, je n'avais qu'un désir : arriver à la maison de la tante Athala, rue du Pont. Longtemps, en me couchant le soir, j'ai repensé au nom de la rue de la tante, que je transformais en Dupond-t en pensant aux *Tintin* qu'elle m'offrait Noël venu.

Reconnaissait-elle son neveu? Du moins, ma tante le feignait. Elle me regardait puis me posait une question ou deux, ajoutant une phrase tissée d'humour : « Je n'ai jamais vu un cochon si bien habillé. Ta robe ressemble à la robe de ma sœur Lucina. » Puis, elle éclatait de rire en me montrant sur un buffet verni une variété de bonbons qu'elle m'invitait à choisir. J'osais prendre une seule boule, blanche et rouge, emballée dans une papillote transparente. Tante Athala me demandait alors d'ouvrir mon sac à surprises et le remplissait d'une manne inespérée : bonbons au miel ou à l'orange au relief de fleurs et de fruits, comme s'il s'agissait de morceaux des rosaces de la cathédrale de Chartres ; suçons rectangulaires au caramel ou au chocolat, lunes de miel, cornets de guimauve colorée ; dragées à la gelée de fruits de toutes les couleurs. Puis, dans un dernier geste, elle ouvrait le tiroir du buffet, pour en sortir un poisson en chocolat et quelques œufs de Pâques emballés de papiers métalliques. « Chut ! Je les ai achetés spécialement pour toi à Québec. Tu remercieras le petit Jésus, avant de te coucher, de la chance que tu as d'être en bonne santé. » Je ne savais pas alors que la tante Athala était malade : un rein et un foie polykystiques.

La tante Athala, chère à mon cœur et à ma mémoire, est morte une année entre mon enfance et mon adolescence, à un moment où, par hasard, les *mardis-gras* arrêtèrent de passer dans les rues de mon village.

Depuis, je sais que de l'autre côté, au ciel, ma tante attend les enfants, les poches pleines de bonbons.

LE REVENANT DU DIMANCHE DE PÂQUES

Mais Combray avait pour moi une forme si à part, si impossible à confondre avec le reste, que c'était un puzzle que je ne pouvais jamais arriver à faire rentrer dans la carte de France.

Marcel PROUST

L'histoire que je vais vous raconter se passe en un temps que je n'ai pas connu. Cette année-là, Pâques était arrivé si tard qu'il faisait beau comme par une journée d'été. Mes oncles et tantes Jacob s'étaient installés, un peu comme à l'habitude le dimanche après-midi, sur la galerie qui faisait le tour de notre maison. Les hommes d'un côté face à la rue Turcotte, les femmes de l'autre côté face à la cour.

Tante Lucina avait commencé la conversation du dimanche en abordant une question grave: «Croyez-vous aux revenants?» Grand-mère Zénaïde avait répondu par l'affirmative, disant qu'il fallait respecter nos ancêtres qui revenaient un jour ou l'autre se manifester. Pour sa part, elle avait revu sa mère Élise, un matin de semaine, en train de sortir un pain chaud du four. Et elle lui avait demandé: «Maman, as-tu quelque chose à me dire?» Mais comme les revenants ne parlent pas, Zénaïde était demeurée sans réponse. Chose certaine, notre aïeule ne craignait pas les revenants et elle le disait ouvertement. La tante Éliane, au contraire, en avait une peur bleue. Les soirs d'orage où l'angoisse la prenait, elle aspergeait d'eau bénite ses fenêtres et ses portes afin de chasser les revenants qui auraient pu s'aventurer chez elle. Tante Hélène, l'épouse de l'oncle Alfred, demeurait sceptique sur la question des morts revenus sur la terre. Quant à tante Athala, elle avait déjà entendu dire que nombre de quêteux passant par les chemins n'étaient en fait que des revenants venus expier leurs fautes. Comme une vague, les conversations des femmes aboutirent de l'autre côté de la galerie. Les oncles se mirent alors à parler de morts revenus venger des dettes impayées.

Au même moment, un train s'arrêta à la gare du village, avec à son bord un inconnu qui rêvait à des noms de lieux et à des noms de rues. Le passager débarqua sans avoir la moindre idée du lieu où il pouvait bien être arrivé.

Une rivière coulait devant lui, qu'il prit pour la Vivonne. Puis, il vit un hôtel à gauche de la gare et se décida à y entrer. C'était le *Manoir Bilodeau* qui fut détruit par les flammes peu après la fin de cette histoire.

L'étranger demanda à la jeune fille au comptoir s'il pouvait manger. Elle lui proposa le menu: de la dinde avec des patates pilées et une tarte aux bleuets avec une boule de crème glacée. Il ne comprit pas bien le jargon culinaire. Et, comme dans ce bar à Neuilly où un jour il était entré, il commanda simplement un verre d'eau. Il le but lentement en regardant autour de lui, scrutant la salle à manger, écartant le rideau de cretonne pour voir surgir derrière la vitre, sur le pont de métal noir, le train dont il venait de descendre. Il réussit facilement, de sa place, à lire sur le train les mots *Québec Central*. Seul le mot *Québec* inscrit en lettres brunes sur le métal noir lui rappela ses leçons d'histoire à Condorcet : Samuel de Champlain, les Indiens, Marguerite Bourgeoys. L'étranger se retrouvait devant un puzzle qu'il ne pourrait jamais arriver à faire rentrer dans la carte de France.

L'étranger demanda à la jeune fille le nom du village. Elle lui répondit : « Vallée-Jonction, vous êtes dans la Beauce. » Le nom de Beauce le rassura un peu. Il revoyait Chartres, puis le Combray de son enfance. Il se décida à explorer la nouvelle Beauce où un train inconnu l'avait amené.

En sortant de l'hôtel *Manoir Bilodeau*, deux promenades s'offraient au voyageur, l'une, en avant de l'hôtel, du côté de la gare, le long du boulevard Saint-Vincent ; l'autre, du côté de l'église qui pointait son clocher gris. Il choisit cette dernière. Le voyageur longea la voie ferrée, traversa un petit bois de la grandeur exacte du Pré Catelan et qui portait, selon la jeune serveuse, le nom de *bois à Pitte*. Il emprunta un sentier rempli de branchages aboutissant rapidement au centre du village.

La maison de madame Hilaire Boivin occupait le coin de la rue des Saints-Anges et de la rue Turcotte, notre rue, qui débouchait directement sur le côté droit de l'église. Le paysage lui fit soudain penser à celui qui entourait la maison de sa tante Léonie à Combray. Encore davantage lorsqu'il se retourna et qu'il vit l'enseigne de l'épicier à l'entrée de la rue des Saints-Anges. *Oréna Hébert* pour ce village, *Camus* pour le Combray de son enfance.

Tante Lucina, pendant tout ce temps, n'avait eu aucune réponse à ses inquiétudes sur les revenants. Elle était en train de dire à sa sœur Élizabeth: « Voudrais-tu que, morte, je te donne de mes nouvelles? » lorsque le visiteur aux allures étranges croisa son regard. Elle descendit l'escalier, alla, comme aimantée, à sa rencontre. « Voulez-vous vous asseoir avec nous? D'où venez-vous? »

L'étranger accepta l'invitation. Aux accents de sa voix, la tante se dit en elle-même que c'était un Français qui s'était écarté. Elle lui offrit sa chaise berçante, tout en discutant. Lui donna un morceau de son *gâteau délicieux* avec une tasse de thé, lui présentant en même temps ses frères et sœurs, l'invitant à souper et à passer la nuit à la maison, sans pourtant rien connaître de l'étranger ni de son nom.

Tante Élizabeth, qui avait une salle de cinéma à Sainte-Marie et était une spécialiste des ressemblances, chuchota à l'oreille de tante Émilienne que le visiteur ressemblait un peu à Charlie Chaplin, mais en plus triste, avec la tête qui penche sous le poids du chagrin. Tante Valérie, la voyageuse de la famille, osa une question: « Êtes-vous déjà allé à Sherbrooke? » Elle prononça le mot Sherbrooke comme à son habitude, étirant les deux « o » et roulant le « r », faisant résonner le nom de la ville comme les trompettes de l'Évangile. L'invité, pensant que la dame voulait parler de Cherbourg, qu'elle prononçait à la mode de Paris, c'est-à-dire à l'anglaise, lui répondit que « si ».

Lucina fit visiter la maison à son invité. Elle lui montra la *chambre de réserve* où il coucherait, la chambre tirait son nom de *réserve* du seul fait qu'on la réservait aux visiteurs; son armoire à même le mur, où elle cachait ses trésors. Elle lui montra dans le corridor, au deuxième étage, son pupitre-secrétaire et sa plume en corail.

En voyant le pupitre et la plume, l'étranger lui dit qu'il avait déjà écrit plusieurs livres dans une chambre, enfermé avec une servante qui ressemblait curieusement à elle, Lucina de Vallée-Jonction.

Il lui demanda si elle connaissait l'origine du curieux nom de son village. Il voulait savoir quelle raison cachée pouvait l'avoir amené dans ces lieux inconnus. Tante Lucina lui répondit qu'autrefois le village portait un drôle de nom. Il s'appela d'abord le *trou de la Bisson*, en l'honneur d'une dame Bisson aux mœurs légères, puis, lorsqu'on érigea l'église, le curé changea le nom pour L'Enfant-Jésus, un toponyme un peu plus catholique. L'étranger sourit. Puis, avec la gare, L'Enfant-Jésus devint Vallée-Jonction. Lucina lui raconta aussi qu'elle avait entendu parler d'une madame Vallée qui demeurait dans une maison dans le *trou de la Bisson* et que c'est devant chez elle qu'on passait à gué la rivière Chaudière. L'homme parla ici d'une rue à Paris qui portait le nom de rue du Bac, car à l'origine, on y trouvait un bac pour traverser la Seine.

Il aimait l'histoire de Lucina. Il lui avoua que s'il avait à réécrire un jour, il parlerait du *trou de la Bisson* et d'elle, la bonne Lucina qui l'avait accueilli dans ce village inconnu.

Puis, l'étranger, fatigué, demanda à se coucher. De la fenêtre de sa chambre, le clocher de l'église lui rappela à nouveau le Combray de son enfance.

Le lendemain matin, le visiteur avait disparu. Tante Lucina eut beau s'informer, personne n'avait croisé l'étranger du dimanche de Pâques. La tante se rendit même à la gare pour demander si un Français était venu s'acheter un billet de train. Comment s'en était-il retourné ? Elle n'avait même pas pris la peine de lui demander son nom.

Arrivée dans la maison, elle retourna dans la *chambre de réserve* où l'étranger avait refait son lit. En voyant le clocher de l'église au travers des six carreaux de la fenêtre, Lucina éclata en pleurs comme si le clocher du village s'était mis à lui parler. Si c'était un revenant...

Ma tante est morte. Des souvenirs légués par mon aïeule, il ne me reste qu'un livre de recettes. Que les mots «farine, sucre, crème». Que des indications: «brasser, mélanger, faire cuire». A-t-elle souvent repensé à l'étranger de Pâques, au revenant inconnu? Je te le nomme aujourd'hui, chère tante. Ton visiteur d'hier, c'était Marcel Proust. Revenu dans l'unique dessein de revoir son village d'enfance, un train l'avait conduit dans le Combray d'un nouveau monde, d'une autre Beauce.

Moi, j'écris ton histoire ma tante Lucina. J'ai beau me promener dans les Combray que je m'invente, les seuls revenants que je croise, ce sont mes mots.

L'EAU BÉNITE

Longtemps, je me suis couché de bonne heure. Lorsque je reprends, le printemps venu, la lecture du livre *Du côté de chez Swann* et que, somnolent, je laisse échapper le volume de mes mains, le souvenir du sommeil de mon enfance me revient.

Qu'il était difficile à trouver, le sommeil d'hier! Compter les moutons, je l'avais bien essayé, mais aussitôt franchi le cap du cent, je savais que l'exercice serait inutile et que chaque mouton ajouté deviendrait une seconde de supplice et d'insomnie.

Je savais aussi que l'oreiller en plumes recouvert d'une taie brodée au point de Richelieu par la tante Lucina se devait de garder une certaine fraîcheur et qu'aussitôt que ma tête l'aurait réchauffé, je n'y trouverais plus le sommeil. Je le tournerais et le retournerais inlassablement. Parfois, mes doigts prenaient le chemin que leur indiquaient les points de broderie, sur les traces des souvenirs invisibles qui me menaient dans la cour d'un château. Je ne connaissais que Moulinsart. Je l'imaginais, mais rendu au bout de l'allée, mes yeux ouverts dans la chambre noire cherchaient encore le sommeil.

La pire chose qui pouvait m'arriver était que les autres, en l'occurrence mes frères et mes sœurs, mon père et ma mère, s'endorment avant moi. J'osais alors un petit « Bonne nuit » sans réponse que je répétais dans la noirceur de ma chambre. Même un peu plus fort, l'appel demeurait sans écho. Lise et Odette, dans la chambre rose, sous la Vierge bleue aux bras tendus, rêvaient déjà. J'entendais le ronflement distinct de mon frère Denis, couché dans la *chambre de réserve*. Il m'avait recommandé la lecture pour m'aider à trouver le sommeil. Je n'avais comme unique lampe de chevet que la lumière d'un ancien réverbère de la rue. Je m'essayai ainsi, tout jeune, au *Petit Chose* d'Alphonse Daudet, puis, adolescent, au *Bonjour tristesse* de Françoise Sagan, comme si le titre de l'ouvrage pouvait donner une chance de plus à mes velléités de sommeil.

Je le savais maintenant. Il devait en être ainsi dans toutes les maisons de Vallée-Jonction et de la terre entière. Moi, je demeurais le veilleur du village, couché la tête chaude sur l'oreiller brodé avec, sur la tablette de la fenêtre, deux livres déjà lus. Puis, un bon jour, me vint l'idée du changement. J'avais vu dans le catalogue de Noël une chambre de rêve, un mobilier qui aurait pu me donner enfin le sommeil que j'appelais en vain. Le prix exorbitant, de toute façon au-dessus de la fortune d'un père *trimeur de lisse*, m'incita à me rabattre sur une tête de lit de style colonial, à la page suivante, au prix plus modique de quarante-neuf dollars quatre-vingt-quinze. Je m'en porterais acquéreur en devenant agent de *Primes de luxe* et en vendant assez de cartes de Noël pour gagner l'objet de mes rêves.

La tête de lit arriva un bon matin de décembre. Mon père l'installa le soir même. La nuit venue, au comble du malheur, je ne trouvai pas davantage le sommeil. J'avais beau me coucher à n'importe quelle heure, m'installer de n'importe quelle manière, le sommeil me fuyait toujours.

Ma mère, découragée, se rabattit sur le curé Olivier qui lui posa une question devant laquelle elle resta bouche bée: «Avez-vous essayé l'eau bénite?» Le soir même, venue me retrouver, elle me signa, me faisant savoir que l'eau bénite recueillie le dimanche de Pâques produisait des effets miraculeux.

Quelques minutes plus tard, une nouvelle vie commença. Je dormis d'un sommeil de plomb. Il avait suffi de donner au coucher un rituel rassurant. Chaque soir, la petite bouteille en verre cachée sous l'oreiller frais servait à me signer. Les nuits d'orage, un autre signe de croix à l'eau bénite me suffisait.

Ma mère ne manquait pas de faire provision d'eau bénite. Chaque année, elle mandatait mon père pour aller lui en chercher une bouteille après la grand-messe du dimanche de Pâques. Elle en aurait bien besoin toute l'année pour asperger son fils et pour calmer toutes les angoisses que la vie pourrait lui apporter. Elle n'oubliait pas pour autant ses demandes en eau de Pâques, une eau recueillie à l'aube du dimanche pascal. Mon père la puiserait à une source au bout de la terre de ses parents. Je sais qu'au croisement des rues Jacob et Assise, il rencontrait avant le lever du jour son frère Alfred et sa sœur Éliane, venus eux aussi accomplir le geste sacré: recueillir cette eau qui ne vieillissait pas et qui guérissait les blessures.

Ma mère, dans un souci continuel de rangement, s'occupait à trouver une place pour les eaux aux vertus merveilleuses. Elle rangeait la bouteille d'eau de Pâques dans une armoire de la salle de bain qu'elle avait baptisée sa «pharmacie». Entre un tube de Brylcream, luxe suprême pour les dimanches de fête, et un pot de crème Beauty Consolor, la bouteille d'eau de Pâques veillait sur nous.

Elle tenait lieu tout au long de l'année d'homéopathie et de naturopathie, soulageant un mal de gorge, guérissant un œil infecté, nettoyant une blessure.

Ma mère cachait une réserve d'eau bénite dans le tiroir d'un meuble de sa chambre, une coiffeuse qui n'avait qu'un petit tiroir étroit. Sur ce meuble, un centre de dentelle Richelieu, avec un crucifix et deux chandeliers en verre, formaient ce qu'on appelait communément un « nécessaire à extrême-onction ». Je n'ai jamais osé fouiller dans ce tiroir qui m'aurait peut-être dévoilé un monde mystérieux. Je n'ai jamais su quelle utilisation personnelle elle pouvait en faire, ni quel voisinage d'objets pouvait se cacher dans le tiroir secret.

Quant à l'eau bénite, je m'en servis pendant des années, puis un bon jour, je l'abandonnai.

Chaque printemps, lorsque les lilas fleurissent en grappes, je relis *Du côté de chez Swann* dans la balançoire de la tante Éliane, le clocher de l'église pointant sa flèche au-dessus de mon passé. *Longtemps, je me suis couché de bonne heure.* Somnolent, je laisse échapper le volume de mes mains. Je ne me signe plus à l'eau bénite. Une main mystérieuse et invisible me conduit au pays des rêves.

LA PROCESSION DE LA FÊTE-DIEU

Pendant que j'écris ce livre, un comité de la paroisse s'occupe maintenant à faire revivre une importante fête de village, la Fête-Dieu.

Le dimanche 9 juin, je me rends donc à l'église de l'Enfant-Jésus, à dix-neuf heures, pour célébrer cette fête avec les gens de mon village, comme au temps de mon enfance.

Je me souviens vaguement de ces dimanches anciens de juin marqués de l'empreinte de la Fête-Dieu et de sa procession : l'odeur de l'encens, le dais monumental aux inscriptions latines supporté à chaque coin par un membre important d'une association paroissiale et l'ostensoir au milieu du dais, comme un soleil d'or, contenant au milieu de ses rayons l'hostie consacrée et la croix de métal. Le défilé religieux était formé des différentes associations du village : marguilliers, chevaliers de Colomb, filles d'Isabelle, ligue du Sacré-Cœur, dames de Sainte-Anne, Croisés, jeunes confirmés, élèves de nos écoles.

La procession partait de l'église et se terminait devant une maison du village, différente chaque année et choisie pour y installer un reposoir de fortune destiné au Saint Sacrement. La Fête-Dieu célébrait Dieu, mais aussi la maison qui avait été retenue pour l'accueillir. Des reposoirs qui appartiennent à l'histoire de notre paroisse, je me souviens de ceux de la maison de mes parents, de la maison du menuisier Alphonse Cliche et de la maison de la tante Éliane, devenue mienne. Toutes les maisons offraient une même particularité: haut perchées sur la rue, elles permettaient le montage d'un autel improvisé qui ressemblerait à celui de notre église, accessible aux yeux et inaccessible aux mains.

À l'odeur d'encens qui embaumait les rues s'ajoutaient celle de la cire des bougies de la procession et le parfum des muguets et des lilas qui attendaient, dressés dans les plus beaux vases de la maison, la visite de ce Dieu qui se déplaçait une fois par année dans les rues du village.

En cette année de retrouvailles avec la Fête-Dieu, le comité paroissial a choisi de dresser le reposoir à la gare de Vallée-Jonction. La procession empruntera la rue du Pont puis le boulevard Saint-Vincent, en sens inverse des promenades auxquelles nous étions habitués, un peu comme si on s'amusait à lire un livre en commençant par la fin. Notre pont des chars guettera l'arrivée du long cortège.

La première difficulté que je rencontrerai pendant la nouvelle Fête-Dieu sera le maniement de la bougie. Pour une piastre, le curé, qui se double d'un homme d'affaires, nous a vendu avant la cérémonie une chandelle ainsi qu'une coupelle de plastique expressément conçue pour protéger la flamme du vent. L'allumage se fait dans la nef de l'église, avec les recommandations habituelles sur le déroulement de la procession. Le départ comme une Formule 1 s'effectue sans grand problème. Je n'ai cependant pas fini de descendre les marches de notre église paroissiale que la cire chaude traverse déjà la base de la coupelle pour me brûler la peau. Je regarde autour de moi tous les gens rassemblés, Marie-France, François, Marion, les filles d'Isabelle, les chevaliers de Colomb, tous marchent la flamme bien droite, la cire se déposant dans le fond de leur gobelet.

À la manière d'un hymne national, les *Je vous salue Marie* scandent le rythme de la procession, maintenant arrivée le long de la Chaudière sur le boulevard Saint-Vincent. Avec ma flamme vacillante, avec la cire chaude et brûlante, je traîne la patte derrière le long cortège et le «mais le péché vous déplaît» reste la seule phrase de la prière qui réussisse à m'atteindre. L'orifice de ma coupelle s'agrandit à mesure que nous nous approchons du reposoir.

J'ai découvert qu'en penchant ma bougie, la cire prend une autre direction et épargne ma main des brûlures. Par contre, la flamme s'éteint aussitôt. Je la rallume, quêtant le feu autour de moi. Des enfants s'amusent à quitter les rangs de la procession pour flâner sur le rebord des fossés et y arracher des quenouilles qu'ils apportent au pied du reposoir. Ma flamme, pendant ce temps, ne cesse de s'éteindre. J'arrive au reposoir sans flamme et à bout de souffle.

À un certain moment durant la procession, ma bougie et sa coupelle de plastique me font basculer dans le monde des souvenirs. La mémoire emprunte parfois des sentiers inattendus. Au lieu de me ramener les réminiscences liturgiques de l'encens et du Sacré-Cœur de Jésus, la rêverie me transporte dans un voisinage totalement différent, en plein monde païen.

Je me rappelle alors un dimanche matin de mon enfance où mademoiselle Marie-Ange Perreault, une voisine, assoiffée par la chaleur de l'été, m'avait demandé d'aller lui chercher un cornet de crème glacée au casse-croûte attenant au garage *Jacques Auto*. J'avais trois maisons à longer, une rue à traverser. Dès ma sortie du casse-croûte, le soleil s'attaqua au cornet. Un peu comme la cire qui recouvrirait un jour mes mains, la crème glacée commença à se liquéfier. Ma mère m'avait appris que parfois dans la vie il faut faire semblant. Je commençai donc à « faire semblant » que le soleil faisait fondre le cornet et je me mis à lécher la crème glacée en l'égalisant de tous les côtés. Le soleil faisait un beau travail. Mademoiselle Marie-Ange Perreault n'y verrait que du feu.

J'arrive au reposoir, la bougie si courte qu'il ne me reste dans les mains que la coupelle de plastique de couleur rouge. Honteux, je ne regarde pas les gens autour de moi, pas plus que je n'ai osé, ce dimanche ancien, porter mon regard sur mademoiselle Marie-Ange Perreault, fuyant ses yeux pour fixer les pâquerettes de sa robe de coton.

Les fidèles se mettent à prier le long de la voie ferrée, tenant toujours la flamme de Dieu. Des curieux se sont joints à la foule, massés sur une butte qui domine le paysage de la gare.

Des femmes et des hommes, au milieu de tout cela, gagnés subitement par une foi à laquelle ils ne peuvent que répondre, se mettent en frais de vouloir s'agenouiller. L'une d'elles, la pauvre, se met à genoux sur un des rails rouillés de la voie ferrée pour un rendez-vous avec Dieu. Sur le chemin de fer, vestale étrange, elle semble sortir d'une toile de Paul Delvaux.

Sur les berges de la Chaudière, des quenouilles battent au vent. La Fête-Dieu nouvelle s'achève, ramenant comme l'air du soir le souffle ancien des fêtes d'hier.

LA VISITE DE LA REINE

J'ai entendu bien des fois l'histoire que je vais vous raconter. À tel point qu'un jour, les mots des autres sont devenus les miens. Pour cette raison, je lui ai gardé le nom sous lequel les gens de mon village aiment se la rappeler : la visite de la reine. Fête du temps, fête du village, fête païenne devenue sacrée.

Vallée-Jonction, voilà le nom de mon village, de l'endroit où je suis né et où j'habite encore. Il est un peu, à la manière de Colette, mon Saint-Sauveur-en-Puisaye, la blessure dont je ne guérirai jamais. La paroisse de Vallée-Jonction portait à l'origine le nom de L'Enfant-Jésus. Un curé avait choisi de baptiser ainsi le village situé entre Sainte-Marie et Saint-Joseph, avec les Saints-Anges au-dessus de la tête et tous les saints imaginables autour. Le petit village grandissait au fil des fêtes. Un ensemble d'installations avait même été construit le long de la rivière Chaudière pour une nouvelle gare qui abriterait une salle d'attente, des bureaux, des guichets, un centre de triage et un immense garage pour y réparer les trains. Ce garage portait le nom de *La Rotonde,* comme le café célèbre de Montparnasse. Passerelles et ponts s'ajoutaient au paysage de notre gare. Un pont métallique comme un gros meccano traverse encore aujourd'hui la rivière Chaudière. Semblable à une construction d'Eiffel, hardie pour le village si petit, ce pont devint pourtant avec les années son symbole, rivalisant avec le clocher de l'église. N'est-ce pas à cause de lui que notre village aurait plus tard renoncé au nom de L'Enfant-Jésus, pour adopter celui de Vallée-Jonction?

Un bon jour, un dimanche de l'année 1939, le curé annonça au prône de la grand-messe que L'Enfant-Jésus aurait l'honneur de recevoir la visite du roi d'Angleterre George VI et de son épouse, la reine Élisabeth. Le train royal traverserait la Beauce et s'arrêterait quelques minutes à la gare du Québec Central à Vallée-Jonction.

Lorsqu'arriva ce matin de printemps, un 12 juin, le village en entier s'était massé autour de la gare et le long des voies ferrées. On y raconta que la reine (ainsi parla-t-on tout de suite de l'épouse de George VI) avait couché à Breakeyville dans une villa de crépi rose appartenant à la famille des Breakey, négociants en bois et de surcroît originaires d'Angleterre. Elle avait déjeuné dans de la faïence couleur crème d'un œuf, d'une tranche de pain Hollywood et d'un thé Orange Pekoe. George VI, celui dont le visage apparaissait sur les pièces de dix cents, n'avait pas dit un mot durant tout le repas. Un fils de la famille des Breakey, paraît-il, avait envoyé une colombe messagère à mon oncle Alphonse pour lui faire savoir que le couple royal était bien vivant et qu'il se rendrait à Vallée-Jonction la journée même.

L'horaire de la journée prévoyait le départ en limousine de Breakeyville à Québec, une visite de la gare Centrale, une excursion dans un train pavoisé aux couleurs de l'Union Jack et un court arrêt dans un village typique du Québec. Pourquoi avoir choisi notre village? Vallée-Jonction, communauté jusqu'alors rurale, explosait de dynamisme. On y retrouvait une manufacture de chaussures, un complexe ferroviaire, des hôtels. C'est pour toutes ces raisons qu'on avait choisi d'y faire arrêter George VI et son épouse.

Deux photographies de l'événement ont été prises. Sur la première épreuve, la reine fait un salut poli d'une main gantée de blanc. Un employé du chemin de fer se tient à ses côtés. Sur la seconde photographie, la foule attend le couple royal les yeux tournés du mauvais côté. Le train est passé, et pourtant la foule continue à regarder jusqu'où il ira dans les collines, jusqu'où la machine noire drapée des couleurs royales continuera son insensé voyage, puisque l'illustre couple devra revenir un jour ou l'autre pour retrouver Québec, enlever les gants blancs et les habits officiels, dormir dans des châteaux loin de la vie ordinaire, du curé et du pain Hollywood.

Ils sont tous là, les gens du village, sur la mauvaise reproduction de la deuxième photographie. Ils ont mis leurs chapeaux et leurs habits du dimanche : mademoiselle Rose-Aimée Boivin, dans sa robe de crêpe couleur rubis, et sa mère madame Hilaire Boivin ; la cousine Henriette, enfant, donnant la main à la tante Athala ; ma mère avec mon frère Denis dans les bras... Des centaines de personnes de la rue Morency à la rue Turmel, de madame Dorveni à monsieur Wilbrod Ferland, se sont massées le long des rails et autour de la gare. Les ombres de la photographie témoignent d'une journée nuageuse, incertaine. Elles indiquent aussi, à cause du reflet de la lumière sur le toit de la gare, l'heure approximative où a été pris le cliché, en début d'après-midi. Dans le coin droit se détache la tour de la maison victorienne qui jouxte la gare. À l'une des fenêtres, un enfant regarde le spectacle de la visite royale.

À l'arrêt du train dans notre village, la reine demanda à son garde du corps : « What is the name of this little town? » Le garde du corps, en sa qualité d'interprète, s'adressa alors au chef de gare qui lui répondit aussitôt : « Vallée-Jonction. Ou si vous préférez, L'Enfant-Jésus. » L'interprète de répondre : « Valley-Junction or Jesus Child. » « Jesus Child ? It's so cute ! », s'exclama la reine, sans penser aux Rois mages de la crèche venus adorer l'Enfant Jésus, devenant sans le savoir mage elle-même, venue rendre visite au petit Jésus du Québec dans cette épiphanie à la fois royale et singulière de juin 1939.

Chose curieuse, la visite de la reine marqua davantage l'histoire de mon village que celle de son mari, le roi George VI.

La tante Lucina écrivit le soir même dans son cahier la recette d'une voisine qui se vantait d'avoir en ses mains la version originale du gâteau *reine Élisabeth*. On pouvait la divulguer à condition de donner dix pences à une œuvre de charité anglaise. Tante Lucina fit brûler le lendemain deux gros lampions à dix cents devant l'autel de la Vierge.

Ce n'est pas tout. Ma mère, en arrivant de la gare, baptisa son Denis le *Petit Prince*. Sans rien connaître à Saint-Exupéry. J'ai eu vent que d'autres mères en d'autres lieux surnommèrent ainsi leur nouveau-né en l'honneur d'une visite mémorable. Même grand-père Arthur, qui avait attelé son cheval pour se rendre au village voir le roi et la reine, débaptisa sa bête Capitaine pour la nommer à son tour Prince.

Lors du passage du convoi royal, les femmes qui portaient leurs plus beaux chapeaux n'avaient pas encore vu celui de la reine, couronné de fleurs et de rubans. Un réseau de chapelières prit par la suite naissance dans notre village, rivalisant d'ingéniosité et de créativité. Olivette

Gilbert, une de nos premières modistes, chapeauta des têtes de manière royale durant bien des années. De tout ce commerce agréable, une ambassadrice se détacha entre toutes, madame Antonio Labbé. Épouse d'un homme d'affaires qui fut maire de nombreuses années, elle demeura longtemps la principale cliente de nos boutiques à chapeaux. Son entrée dans l'allée centrale de l'église, ses pas majestueux et surtout ses chapeaux appartiennent à jamais à nos annales paroissiales. Encore aujourd'hui, Gisèle Carrier, modiste, continue la tradition et la mariée rêve longtemps du chapeau porté le jour de ses noces.

Le train royal, quant à lui, n'est jamais repassé depuis. À l'intérieur de la gare, un musée abrite le Centre d'interprétation ferroviaire de Vallée-Jonction. Sur les murs, j'ai découvert les deux photographies pâlies du roi George VI et de son épouse, la reine Élisabeth. Toute reproduction est interdite sans autorisation, mais moi je vole le souvenir. Le convoi féerique roule à nouveau sur la feuille de papier.

Noël venu, lorsque je déposerai au pied de la crèche les personnages, j'aurai une pensée pour la reine venue adorer un jour l'Enfant Jésus.

LA RÉCOLTE

Le mois d'août arrivé, commençait peu à peu la récolte des légumes du jardin. Une récolte sacrée, avec son rituel qui donnait à mes journées d'enfance une couleur et une rondeur que j'aime retrouver.

D'août à l'Action de grâces, maman se plierait à tout un cérémonial autour de la récolte du jardin d'en haut et de celui du jardin d'en bas. Celui d'en haut, au soleil plombant, était réservé à la pomme de terre solitaire et à la citrouille. Celui d'en bas, à gauche de la maison, faisait office de potager. Il y avait là des choux, des fèves vertes, des fèves jaunes, des pois mange-tout, de la laitue, des tomates, des radis, des carottes, du persil, des navets et des betteraves.

Chaque premier fruit ou chaque premier légume était destiné à une personne précise de notre famille. Lise recevrait la première offrande du jardin, un radis rose. Lavé à l'eau de l'étable abandonnée, savouré en regardant le soleil emplir la cour de la maison, il faisait penser à tous les hors-d'œuvre que ma sœur Lise préparerait, les dimanches venus. Un plat en cristal égaierait de sa forme oblongue le milieu de la table et les convives souriraient de plaisir devant la beauté de ce légume.

Comme l'anniversaire de mon frère Denis tombait le 15 août, mon père lui réservait le premier concombre de son jardin. Il le montrait comme un trophée ramené d'une chasse lointaine, puis le mangeait tranché et assaisonné de sel.

La première tomate revenait à ma sœur Odette. Elle en héritait pour la raison toute simple que mon père avait emprunté le coffre de sa marraine Lucina pour y mettre ses semis.

La chambre rose ensoleillée devenait une serre en miniature dès la fête de Saint-Joseph. Les semis profitaient, voisinant avec les centres de table en dentelle et les nappes en Richelieu brodées à la main par Lucina.

Puis, un bon matin, ma mère se levait avec l'idée d'un bouilli pour le souper, qui occuperait sa journée entière. Le matin, avant de se rendre à la *Valley Shoe*, mon père irait ramasser un panier de patates grelots dans le jardin en haut. Il lui offrirait, en cachette, deux ou trois petites patates expressément choisies pour elle, l'épouse. Elle les ferait bouillir non pelées, les mangeant avec un morceau de beurre qui glisserait sur leur fine pelure mordorée, les savourant comme d'appétissantes confiseries. C'est moi qui serait mandaté pour aller chercher le morceau de viande commandé au téléphone chez le boucher Turmel. Papa, le midi, ne mangerait presque pas. Carottes, navets, choux, maman ne parlerait que légumes. Le bœuf emplirait peu à peu de ses arômes toute la cuisine d'été. Le soir, au souper, elle présenterait à mon frère Henri-Louis un navet nouveau et une carotte tendre en accompagnement d'un morceau de bœuf, lui soutirant le mot « parfumé » qu'elle répéterait comme un écho à chaque été.

Un bien bel été

Moi, le cadet, j'aurais droit à la première citrouille, que je ne mangerais pas, pour me contenter de la regarder comme j'avais regardé les autres manger leur premier légume ou leur premier fruit.

Après cette distribution officielle venait le temps de la vente des fruits et des légumes. Ma mère tenait un registre serré, suivant les règles strictes que son penchant et son amitié traçaient dans les strates de sa pensée. Les trois premières tomates seraient donc vendues, année après année, à une certaine madame Dorveni Cloutier qui habitait une maison en tôle grise rue des Saints-Anges. Maman faisait ainsi un pied de nez à madame Hilaire Boivin qui habitait juste au bout de la rue Turcotte et se serait bien arrogée ce privilège. Dans un sac en papier brun, le petit René, de l'enfance à l'adolescence, lui livrait les trois premiers fruits rouges en passant devant la maison de la concurrente qui, malgré les rideaux tirés dans les fenêtres du salon, savait qu'elle venait de manquer encore une fois le privilège de goûter à la primeur de madame Jacob.

Ravalant son orgueil, madame Hilaire Boivin ne tarderait pas à téléphoner à ma mère pour demander à son tour de ces tomates dont elle raffolait. Vingt-cinq sous pour trois tomates. Une piastre le panier. Je ramassais l'argent que ma mère cachait dans un petit baril en bois brun, ancienne boîte d'allumettes achetée par le grand-père Jacob. Madame Dorveni et madame Hilaire Boivin, à elles seules, vidaient notre jardin. Comment les mangeaient-elles, comme on mange une pomme ? Je ne sais pas, mais je me souviens de l'expression gourmande de leurs yeux devant le sac en papier plein de tomates. Et lorsque je concocte aujourd'hui une *Ratatouille en trois coups de cuiller* ou des *Tomates moutardées en croûte de Comté,* tirées des *Légumes de mon Moulin* de mon ami Roger Vergé, c'est aux dames anciennes d'hier que s'adresse toute ma reconnaissance pour m'avoir fait connaître une cuisine qui se veut fraîcheur et vérité. Les premières carottes et les premiers haricots à beurre allaient à Mademoiselle Mary Colgan, qui tenait une auberge rue Principale et qui téléphonait bien à l'avance en juillet afin de réserver des légumes pour la recette de son bouilli à la mode d'autrefois. Mademoiselle Mary avait une telle réputation de bonne cuisinière que même les pois verts Del Monte, dans ses assiettes de noces, à côté de la dinde et des patates pilées, avaient un goût particulier dont on parlait jusqu'à Jackman. Pour une piastre, je lui livrais un panier rempli de carottes et de haricots. Mon père ajoutait, avec l'accord tacite de son épouse, un chou et deux navets. Il n'aurait pas voulu perdre la bonne cliente qui commanderait de ses paniers autant qu'il pourrait en fournir. Quant à ma mère, la bonne réputation de cuisinière de Mary flattait la sienne.

Ma mère tenait les comptes. L'argent de la récolte servirait pour les achats de la rentrée scolaire. Ainsi, c'est avec les trente-sept dollars de l'année 1972 que j'achetai, pour mon entrée à l'Université Laval, le manuel d'*Anatomie de Basmajan*. Qui aurait pu se douter, dans l'auditorium rempli à craquer d'étudiants en médecine et en pharmacie, que le chapitre sur le squelette humain correspondait à la vente de toutes les tomates du jardin et celui sur les muscles, à la vente des haricots, carottes et navets? Qui avait donné les vingt-cinq sous pour que j'apprenne l'emplacement du couturier ou celui du fléchisseur? Madame Dorveni, madame Hilaire Boivin et mademoiselle Mary Colgan n'ont jamais su qu'elles avaient un jour contribué à mon instruction.

Septembre arrivait. Et, avec tous mes os et tous mes muscles, je revenais chaque semaine à la maison où je trouvais le jardin vide. Aujourd'hui je lui rends grâce. Après tout, je lui dois, comme le dit si bien George Sand, *le vêtement de ma propre existence.*

LE CHOIX DE LA CITROUILLE

Octobre arrivé, le réfrigérateur, le seul appareil électrique que l'on déménageait, revenait dans la grande maison. La cuisine d'été était définitivement fermée pour l'hiver, saison pendant laquelle elle tiendrait lieu de dépense et de garde-manger.

Comme par les années passées, papa avait rangé le reste des récoltes du jardin dans la cuisine d'été. La moisson meublait au grand complet ce lieu que l'on avait baptisé « la petite maison ». Table, chaises, fauteuils en velours râpé, poêle sans feu, autant de rangements pour les fruits et les légumes.

Ainsi, sur la table libérée de la nappe en coton aux motifs de paniers de fraises, les tomates vertes s'alignaient religieusement, en attente de leur mûrissement. Madame Lorenzo Cloutier, une amie du voisinage, viendrait en choisir au plus tôt pour son ketchup maison. Maman les vendrait au quart du prix, mettant de côté les tomates au chapeau jaunâtre. L'été, pour elle, n'était pas encore tout à fait terminé. Elle ne se résignerait à faire du ketchup vert qu'à la toute dernière minute, lorsque la radio annoncerait un gel.

Sur un banc de bois placé le long d'un mur de la cuisine d'été, papa avait installé sa récolte de citrouilles. Maman, à leur vue, s'en était aussitôt gardé une première pour faire une tarte et de la confiture épaisse et transparente, de la confiture en «cubes» dont chaque morceau ressemblait à une pierre semi-précieuse, une pépite d'ambre baignant dans un sirop doré.

Onze citrouilles s'alignaient sur le banc. Une douzième, par terre, immense et démesurée, dépassait complètement toutes les autres par sa taille et par son poids. Maman avait tout de suite décrété: «Celle-là, on va la vendre.»

En fait, ma mère ne se garderait qu'une autre citrouille, la plus petite, juste assez pour une deuxième tarte et un deuxième pot de confiture en cubes. Restaient donc encore dix citrouilles dans la cuisine d'été.

Un bon matin, avant de partir travailler, papa, dans un excès de générosité et fier de sa récolte, offrit à ma sœur Lise de se choisir une citrouille pour la fête de l'Halloween. Lise, tout heureuse, regarda longtemps les dix citrouilles semblables alignées sur le banc. Devant trois citrouilles sans pédoncule, elle se dit qu'il serait bête de choisir l'une d'elles pour faire son Halloween, car l'absence de chapeau ne convenait pas à l'idée qu'elle avait en tête. Elle creuserait la citrouille avec la grosse cuillère en métal de maman et elle taillerait des yeux, un nez et une bouche pour créer un visage au sourire édenté et au regard épeurant.

Sept citrouilles sur le banc la regardaient. Laquelle choisir? Au temps de mon enfance, la mode de se costumer le dernier jour d'octobre n'existait pas. Le seul plaisir consistait à montrer le visage de notre citrouille décorée aux fenêtres des maisons du voisinage: la maison des jumeaux Maheux, la cuisine de mademoiselle Rose-Aimée Boivin et le salon de celui que nous avions baptisé monsieur Watkins, mais qui était en fait un monsieur Cloutier, commis-voyageur pour les produits Watkins.

Trois autres citrouilles furent rejetées en raison de leur forme oblongue. Puis l'heure de l'école arriva. Lise abandonna son étude sur les formes géométriques des citrouilles pour retourner en classe la tête toute pleine du cadeau inespéré. De sa fenêtre de classe au couvent des religieuses de Vallée-Jonction, surplombant le jardin d'en haut où sa citrouille avait vu le jour, elle rêva au fruit immense qui était né, l'été dernier, dans cette terre noire et généreuse.

Lise continua à rêvasser une partie de l'avant-midi, sans se douter une seconde que maman, pendant ce temps, recevait la visite d'un colporteur de fruits et légumes, un passant par les portes, comme on les appelait. On le surnommait Bégin-à-pinch à cause de sa moustache caractéristique taillée à la Charlie Chaplin. Maman achetait, à sa visite à l'automne, un panier de pommes rouges et un autre, plus petit, de pommettes d'amour. Elle en profitait pour s'informer du prix des tomates et du prix des patates pour ajuster les siens à ce concurrent qui passerait aussi chez ses bons clients.

Bégin-à-pinch, aux cravates larges et colorées, aimait brasser de bonnes affaires. À la vue des citrouilles alignées sur le banc, il demanda à ma mère de les lui vendre. Ma mère, sans connaître l'histoire du cadeau offert à Lise, échangea naïvement toutes les citrouilles contre une manne de pommes.

Au retour de l'école, Lise, ayant enfin décidé du choix de sa citrouille, connut sa première véritable déception. Trois jours passèrent, ma sœur demeurait inconsolable.

Pour apaiser sa peine, papa partit à la recherche d'une citrouille. L'oncle Alfred lui en vendit une de son jardin, que Lise décora à contrecœur en pensant à celle qu'elle avait perdue.

Depuis ce temps, ma sœur Lise ne mange plus de tarte à la citrouille. Moi, j'ai raconté l'histoire de Lise à ma fille Marion. Et pour venger le passé, je lui ai acheté quarante-sept citrouilles de toutes les dimensions. Les marches de nos galeries en sont pleines. Bégin-à-pinch peut passer, mon présent n'est pas à vendre.

MON COUSIN TOUSSAINT

Connaissez-vous mon cousin Toussaint? L'oncle Alfred le baptisa ainsi pour garder éternellement à la mémoire la date de sa naissance, le premier novembre. Mon oncle n'avait pas hésité une seconde dans le choix du prénom, sûr de son coup; l'enfance donna au jeune Toussaint une inquiétude sourde qui fit qu'un bon matin le prénom original se mua en un Luc beaucoup plus simple à comprendre et facile à écrire.

La Toussaint, le premier novembre, est la fête de tous les saints. Coincé entre l'Halloween et le triste jour des Morts, la fête demeure l'occasion rêvée de penser à tous les bienheureux du paradis.

Ma grand-mère Clara avait choisi Gertrude comme prénom pour ma mère, l'année même où Picasso remettait à Gertrude Stein le célèbre portrait cubiste. Ma mère ne l'a jamais vu, pas plus qu'elle n'a lu une phrase de l'écrivaine. Enfant, conduite au catéchisme, elle se demandait, inquiète, qui pouvait bien être sa sainte patronne, cette sainte Gertrude. Le chemin de la prière et des dévotions, Clara, sa mère, le lui avait enseigné. Et Gertrude, comme Clara, savait qui invoquer à la Toussaint.

Mon arrière-grand-mère maternelle, Anaïs, avait choisi le prénom de Clara pour sa fille, l'année où Clara

Schumann mourut. Ma grand-mère n'a pourtant jamais joué du piano, ni entendu parler de Schumann ou des *Scènes d'enfants*, de même que quiconque dans la maison de son enfance. Mais ma grand-mère portait à merveille le prénom musical.

L'oncle Alfred se surpassa en originalité dans le choix du prénom destiné à la jeune sœur de Toussaint: Marcienne. Ma cousine ne se cassa pas la tête avec la fête du premier novembre où il fallait trouver dans la Jérusalem céleste le prénom correspondant à son saint patron. Elle habitait une autre planète et elle aurait cherché en vain sainte Marcienne, il fallait qu'elle la fabrique elle-même.

Vous pensez que j'ai oublié mon prénom. Mon père hésita longtemps, et fit inscrire finalement sur le registre du baptistère une série de prénoms sans rapport les uns avec les autres: Joseph Jules Normand René. René fut finalement adopté pour reprendre le prénom de mon frère, mort en bas âge. René dans le vrai sens de la lettre pour faire revivre à ma mère et à mon père l'émotion d'un nouveau René. René, ce frère qu'il me fut impossible de connaître, baptisé puis ondoyé à sept mois. Saint dont on m'avait dit qu'il était monté aux limbes et auquel je m'accrochais les premier novembre de mon enfance. Ma mère me sortait alors la photograhie agrandie de l'enfant couché dans sa tombe au milieu des fleurs, photographie qu'elle rangeait dans le cabinet à musique, entre les disques de Tino Rossi et de Lucien Hétu. C'est en pleurant que je me rendais à l'église au bout de la rue prier l'image sainte que je venais à peine de remplacer.

LE JOUR DES MORTS

Le jour des Morts, après le déjeuner, papa sortait, d'une armoire mystérieuse située au-dessus de l'escalier qui menait à la cave, une boîte de chaussures de la *Valley Shoe* contenant toutes les cartes mortuaires de la famille et des proches avec leurs vœux pieux. Cartes avec de la dentelle sur les rebords. Cartes craquelées et jaunies. Visages des morts effacés dans un brouillard qui les éloignait encore davantage de la terre qu'ils avaient, souvent à regret, quittée.

Mon père nous enseigna dès notre plus jeune âge le culte des défunts. Et devant ces témoins de papier, il nous donnait une leçon de sagesse. Comme on lit un passage d'*Eugénie Grandet* ou une strophe de Victor Hugo, papa, qui avait fait en partie son cours classique, nous lisait avec les intonations requises des extraits des prières aux défunts, insistant particulièrement sur les mots latins, nous en donnant la traduction sans hésiter, lui qui, dans quelques minutes, quitterait le monde des morts pour se rendre travailler à la *Valley Shoe*, la manufacture de chaussures du village.

Zénaïde Giguère, Lucina Jacob, Léon Jacob, Ernest Jacob. Nous apprenions à l'école de papa les lieux et dates de naissance des défunts, les lieux et dates de leur mort, les liens de parenté, les géographies étroites liant ces personnages imprimés sur les cartes aux dentelles de carton usées.

Ma mère écoutait en silence les prières aux morts, montrant ici et là de sa main, qui tenait un couteau à peler les pommes de terre du midi, une carte mortuaire provenant du côté de sa famille, glissée par inadvertance parmi celles des Jacob. Ainsi Marguerite, sa sœur morte en bas âge, se retrouvait aux côtés de la tante Lucina ; Aldhérie, une tante que j'ai peu connue, entre les jumeaux Maheux, qui avaient habité en face de chez nous.

Il y avait en fait autant de vie dans les cartes mortuaires que dans n'importe quel récit d'aventures. Papa nous parlait de l'oncle Léon mort dans l'accident du mont Obiou ; de la tante Edwidge, l'épouse de l'oncle Henri, morte, à notre plus grande stupéfaction, assise sur une chaise de dentiste. Maman ajoutait que la poupée dans les bras de Marguerite s'appelait Anaïs. *O dulcis, Virgo Maria,* disait mon père à la toute fin du pèlerinage de papier. Une dernière fois, il faisait valoir sa connaissance du latin, cette langue qui semblait si utile dans le monde des morts.

Papa parti à la manufacture, la boîte rangée à nouveau dans l'armoire, je prenais mon sac d'école et me rendais à l'externat de Vallée-Jonction. Nous n'étions pas sitôt arrivés à l'école du village que nous prenions nos rangs, classe par classe, pour aller prier les défunts dans une forme de culte bien spéciale que nos professeurs avaient baptisée les « visites ». Les visites à l'église commençaient le midi du jour des Morts pour se terminer en soirée. La visite était comme un jeu organisé avec des règles bien précises, dont le but ultime était de gagner des jours d'indulgence. Il fallait, après chaque prière à l'intention d'un disparu spécialement choisi, sortir de l'église, puis y entrer à

René et le lion

nouveau et commencer une nouvelle supplication à un autre disparu avec un rythme toujours égal : cinq *Je vous salue Marie*, cinq *Notre Père*, cinq *Gloire soit au Père*, puis une phrase de notre cru, petite prière inventée. Je me souviens de la formule composée dans ma tête d'enfant pour la tante Lucina : « Pour ma tante, morte et au paradis. Priez au ciel pour votre neveu que vous n'avez jamais connu. » Il ne fallait pas oublier de se signer à l'eau bénite avant de sortir de l'église, puis y entrer à nouveau pour une autre visite.

J'avais trouvé, pour mes allées et venues au pays des morts et des vivants, une place de choix à l'arrière du transept, à côté de la porte qui donnait directement sur le bout de notre rue. Je regardais entre chaque visite notre maison blanche et verte en pensant aux leçons de papa et je n'avais pas de difficulté à me remémorer le nom de l'un des morts dont le souvenir était à jamais couché dans une boîte de carton. Je devais faire ainsi une trentaine de visites, si bien que mes indulgences atteignaient les mille, voire les dix mille journées.

Le jour des Morts ne se célèbre plus. Les enfants profitent de cette journée triste pour classifier systématiquement leurs bonbons de l'Halloween. C'est dans un livre de George Sand, *Les beaux amis du bois doré*, que je cache mes disparus : Claude, mon ami de toujours, Pierre, un confrère de classe, mademoiselle Turmel de Vallée-Jonction, qui m'apportait juillet venu des brassées de pivoines. Je les prie au ciel et je les regarde au travers des mots de la dame de Nohant. Un jour, je montrerai à mes enfants leurs visages que le temps aura presqu'effacés.

En attendant, je sais que mon père ouvre encore la mystérieuse boîte qui continue à s'emplir de tous les souvenirs pieux de la famille et des proches. Je sais que, secrètement, il se dit chanceux d'être du côté des vivants. Tantôt, lorsqu'il se rendra à l'église pour la messe du jour, d'une jambe alerte, avec le *Prions en l'Église* dans les mains, il aura dans la tête le vœu qu'il a choisi pour Lui, la dernière offrande sacrée à Dieu, composée des mots magiques en latin qu'il a tant de fois récités: le *Souvenir Pieux*.

LE BEAUJOLAIS NOUVEAU

Un jeudi de novembre, le beaujolais nouveau arrive en grande pompe. Toute la journée, il s'affiche dans les journaux télévisés. À midi et au souper, on le retrouve sur de nombreuses tables, présidant à une cérémonie dont le sens ici au Québec m'échappe encore...

Il fut un temps où sa présence, pourtant, était plus qu'effacée. Je pense à mes années d'enfance qui ignoraient tout de ce rituel entourant l'arrivée d'un vin nouveau. Cette couleur rubis, je ne l'associais pas à un cru, mais plutôt à la robe du dimanche de notre voisine, mademoiselle Rose-Aimée Boivin. Couleur inutile et triste dans la rue asphaltée de mon enfance, nous avions qualifié ce rubis de mortuaire, comme si la vieille fille de notre voisinage avait déjà pris la décision de se ranger du côté des morts, avec sa robe du temps passé.

Dans la suite monotone des dimanches de novembre, il y en avait pourtant un qui se distinguait des autres, non par l'arrivée massive du beaujolais dans notre village mais par la visite, après la grand-messe, de l'oncle Alfred et de madame Taxi Roy, la voisine, tous deux invités à venir goûter le vin maison de papa. Monsieur Taxi Roy, occupé par les mêmes voyages pour les mêmes clients, laissait à sa femme le soin de répondre à une invitation qu'il déclinait. Et comme madame Taxi Roy travaillait depuis des années à la *Valley Shoe* avec mon père, la courte fête improvisée de ce dimanche de novembre lui revenait de plein droit.

À son tour, l'oncle Alfred inviterait celui qu'il appelait son jeune frère à venir goûter à son boire du temps des fêtes. Quant à madame Taxi Roy, Marguerite de son prénom, elle se réservait la fin de l'après-midi pour servir à mon père une coupe de son champagne maison, une boisson de son propre cru. À moi, qui avais aidé mon père à fabriquer son vin, on m'accorderait le privilège de l'accompagner dans sa visite.

Mon père, l'oncle Alfred et madame Taxi Roy procédaient chacun à leur façon et chacun tenait pour sacrée sa recette. Aucun n'aurait osé emprunter celle du voisin, assuré de l'excellence de son produit et confiant de pouvoir satisfaire les siens, d'une année à l'autre.

Papa se spécialisait dans le vin de cerises. En août, je l'aidais à cueillir les cerises mûres, qui du rouge foncé étaient passées au pourpre noirâtre, signe que le fruit était bien arrivé à sa pleine maturité. Il ne s'agissait pas de cerisiers de Montmorency mais de cerisiers sauvages que le grand-père Ernest avait plantés le long du ruisseau, au pied de la butte derrière la maison. Une rangée de cerisiers suffisait à peine à nos vendanges. Nous avions trouvé le long de la Chaudière, en allant vers un village voisin, une talle inespérée, une haie de cerisiers abandonnée. Nous en remplissions de pleins paniers.

Je goûtais parfois à un ou deux fruits. Leur goût trop amer m'obligeait à les manger bouillis. Dans une petite *chassepinte* de fer-blanc à la poignée usée, ma sœur amenait les cerises à ébullition jusqu'à ce que la pelure s'en détache. Le fruit perdait alors de son amertume en laissant toutefois dans la bouche et sur les gencives l'impression d'une présence incongrue. Notre cueillette était réservée exclusivement à la fabrication du vin de cerises de papa. Rose-Aimée, la voisine à la robe rubis, s'était bien essayé un dimanche à demander les queues des cerises pour se faire une infusion. Mais satisfaire les besoins diurétiques de notre voisine aurait demandé un travail de moine, que mon père se refusait à accomplir.

La recette du vin de cerises de mon père, toute simple, je l'ai gardée en mémoire:

1 pinte de cerises
3 pintes d'eau
1 sachet de levure
1/2 citron

Mon père emplissait une énorme bouteille en verre d'une contenance de 50 litres, une dame-jeanne, comme je l'ai appris des années plus tard. Il répétait les mesures de sa recette jusqu'à ce que la bouteille soit pleine jusqu'au goulot, puis il la recouvrait d'un linge de lin. Il fallait quarante jours pour que le vin soit prêt. La dame-jeanne était emprisonnée dans le caveau à patates, l'endroit le plus obscur de la cave. Seules les mains de papa étaient en mesure de la retrouver.

On aurait pu préparer ce vin avec des pissenlits ou des merises. Les merises se faisaient rares; quant au vin de pissenlit, sa couleur jaune déplaisait à mon père. Il se rabattait inévitablement sur les cerises, produisant un vin dont le rosé était, comme il le disait, plus ragoûtant.

Mon père filtrait sa boisson et l'embouteillait lui-même, se réservant le gros de la production pour le jour de l'An où, dans les *tulipes* de la tante Lucina, la parenté porterait un toast à la santé de Jeannot, le surnom de mon père. L'oncle Alfred s'en délecterait. Notre voisine Marguerite ronronnerait de satisfaction en pensant à notre rue Turcotte si pleine de bonnes choses, à cette source invisible d'où coulaient le vin de papa, le breuvage de l'oncle Alfred et son champagne. Le Rhône et la Saône lui étaient inconnus, chère Marguerite. Mais la butte sur laquelle s'agrippaient notre maison, celle de l'oncle Alfred et la sienne, valait bien Montmartre et ses vignes.

Le vin de papa ne portait pas de nom. Des cousines en parlaient en bien, le baptisant librement *vin de l'oncle Jeannot*, comme un vin de pays d'un terroir inconnu. Coco, une fille de l'oncle Alfred, pour sa part plus audacieuse dans le choix de la terminologie, décida de nommer le vin courant de son oncle le *Cin-Jeannot*, sanctifiant à la fois l'oncle qu'elle aimait bien et la fête du jour de l'An, pendant laquelle le vin de cerises coulerait à flot.

L'oncle Alfred faisait aussi son vin nouveau qui prenait les allures d'un punch du temps des fêtes. Les ingrédients de la recette ne mentent pas sur la teneur en alcool du mélange :

1 pinte de vin de table
1 pinte de gin
1 pinte de ginger ale
de la glycérine

Agréable au goût, aux dires des dégustateurs, le boire de l'oncle Alfred était le liquide d'attaque pour commencer une soirée. La cousine Coco baptisa le punch de son père le *boire inoffensif*. Elle y ajouta à sa façon une devise piquante de malice: «Un verre, ça va bien. Deux verres, un peu moins bien.»

Madame Taxi Roy, pendant ce temps, attendait son voisin dans sa cuisine. Elle révisait dans sa tête la recette de son champagne.

1 pinte de jus de raisin
1 pinte d'eau
1 sachet de levure

Dans l'énumération des ingrédients de sa recette, madame Taxi Roy cachait volontairement un élément indispensable à la champagnisation de son breuvage. Elle se disait en elle-même qu'elle en dévoilerait, cet après-midi-là, la teneur expressément pour monsieur Jacob qui était si bon pour elle et qui la voyageait gratuitement à la *Valley Shoe*. Dans une bouteille en grès, le champagne de Marguerite fermentait au fond de sa garde-robe, à côté de ses mules avec du «frou-frou», sous la rangée des smocks de coton fleuri dont elle raffolait et dont elle avait fait son tout-aller. Le vin de Marguerite n'avait pas de nom. Elle l'appellait tout simplement *champagnette.*

Mon amie Madeleine, la fille de madame Taxi Roy, installée dans sa *balancine* sur la galerie, me faisait un signe de la main dès qu'elle me voyait revenir avec mon père de chez l'oncle Alfred. Comme piqué par une guêpe, je partais aussitôt à la course au beau milieu de la côte pour aboutir sur le treillis de bois de la galerie. Papa me suivait loin derrière. Sa tête avait du mal à supporter la deuxième coupe du *boire inoffensif* de l'oncle Alfred.

Madame Taxi Roy nous ouvrait la porte. Madeleine me servait un verre de Kool-Aid en me montrant sa collection de catalogues de Noël. Madame Taxi Roy offrait alors une coupe de champagne à mon père qui lui trouvait un goût de fruit. Contente de la remarque, elle ajoutait, souriante: «Vous avez raison, monsieur Jacob. Je ne vous l'avais jamais dit. C'était mon secret. Dans mon champagne, je mets deux bananes.» «Je mets deux bananes.» La phrase était si loin dans les strates de mon cerveau que je l'avais oubliée. En écoutant au journal télévisé du matin un sommelier parler du beaujolais nouveau en ces termes: «un goût de fruits frais, un goût de banane», la phrase de madame Taxi Roy m'est tout à coup revenue.

Le *Cin-Jeannot* de mon père, le *boire inoffensif* de l'oncle Alfred, la *champagnette* de madame Taxi Roy, autant de crus de mon enfance, autant de vins nouveaux.

Les jeudis de novembre peuvent arriver. Les beaujolais peuvent faire la fête. J'ai dans ma tête des jours anciens en réserve, témoignant du premier voyage au pays de cette butte où fleurissent encore les cerisiers de mon grand-père.

LE MIRACLE DU 18 AOÛT 1958

Je m'en souviens comme si c'était hier. 18 août 1958. Une journée d'été parfumée d'une odeur de foin. Dans la Pontiac noire, papa nous conduisait, maman et moi, chez le grand-père Nadeau, à l'autre bout du village. Assis à l'arrière, je tenais dans mes mains ma petite Pontiac noire, mon jouet d'enfant. Les vitres fermées, l'odeur de la cuirette des sièges me grisait comme une drogue. J'aspirais à plein nez un bonheur éternel.

La distance qui séparait notre maison de la rue Turcotte de la maison du grand-père Nadeau était courte. À peine un mille avant d'arriver à l'endroit surnommé «croche chez Wilfrid Nadeau», là où, à la sortie du village, la route empruntait une légère courbe. De cet endroit précis, le paysage de l'été m'arrivait en pleine face: les champs avec les meules de foin, la rivière Chaudière tout à côté, puis la maison à lucarnes du grand-père Nadeau qui éclairait de ses couleurs blanche et verte l'après-midi de ce dimanche. Après la boucle de la route, un bout de chemin droit traversait la terre de la tante Anna-Marie, puis la terre de l'oncle Hermas. Un bout de chemin si court qu'il ne m'apparaissait alors pas plus long qu'une catalogne de plancher, comme une laize que l'on aurait étendue de la fin du village à la maison de mon grand-père, la dernière maison avant le village voisin.

Au milieu de ce paysage et de toute cette route, mon père nous invita subitement à regarder le tableau de bord. Un miracle arriverait. Maman arrêta sa dizaine de chapelet pour les âmes des fidèles défunts et se mit à observer l'étrange phénomène que papa était en train de nous décrire. Le compteur de la Pontiac indiquait 1999 milles. Nous arriverions chez le grand-père Nadeau avec le chiffre 2000 devant les yeux.

Je m'en souviens comme si c'était hier. 18 août 1958. Une journée d'été parfumée d'une odeur de foin. Nous partions en voyage au bout du village. Devant la maison de l'oncle Hermas, qui bêchait un carré de jardin, le 9 se mit à bouger sur le tableau de bord. Dans le rétroviseur, les cloches de l'église s'amenuisaient. Puis, le 9 de la dizaine et le 9 de la centaine se mirent à leur tour à rouler dans l'été rempli de l'odeur du foin. Alors, le 1 du mille qui se tenait bien droit bascula. Au moment où le 1 disparaissait complètement pour laisser apparaître un 2, maman cria un 2000 qui traversa les vitres fermées. Elle cria encore trois fois 2000, 2000, 2000 ! Je n'avais de ma vie jamais vu un si beau chiffre. Je connus la joie d'une apothéose devant l'étable de mon grand-père Nadeau.

Depuis, j'ai vu bien des chiffres mais je n'ai jamais revu un 1999 dansant au milieu de l'été pour se transformer en un 2000 magique.

L'enfant assis en arrière de la voiture se doutait-il qu'un jour les années tourneraient à la manière du jour ancien et que l'an 2000 arriverait comme la Pontiac noire devant l'étable du grand-père Nadeau ? Sur la petite route de l'histoire humaine, des millions d'enfants crieront de joie à la venue du chiffre magique, sans se soucier de toutes les fêtes qui passent et des années qui tournent : Noël, jour de l'An, Épiphanie, Mardi gras, Pâques, Fête-Dieu, Halloween, Toussaint, jours des Morts. J'ai fini d'écrire *Dimanches et jour de fêtes* et, en chemin, je n'ai pas oublié l'odeur du foin.

La chaise

TABLE

Romans

Le ciel non plus je ne pouvais pas le peindre – Denise Blais
L'homme et l'enfant maure – Albert Martin
Le visage des cendres – Sylvie Nicolas
Les ailes inachevées du désordre – Sylvie Nicolas

Nouvelles

Au-delà des murs – Anne Peyrouse
Comment faire taire un oiseau – Claudette Frenette
L'amour sauce tomate – Sylvie Nicolas
Docteur Wincot – Jean Désy
Les contes de l'inattendu – Michel Vézina

Récits

Le carnet de table – René Jacob
11, Saint-Zéphirin – Julien Forcier
Lettres à ma fille – Jean Désy
La boîte avec le carré parfait – René Jacob
Cthulhu, la joie – Jean-Pierre Guay
Le métis amoureux – Michel Noël
Voyage au Nord du Nord – Jean Désy

Essais

Le cœur pensant, courtepointe de l'amitié entre femmes – Élaine Audet
Autour de Okia, le premier regard – Sylvie Nicolas
Du corps à l'âme – Marcel Gaumond
L'intellectuel américain – Ralph Waldo Emerson,
traduction Sylvie Chaput
L'autre Saint-Denys Garneau – Jacques Roy
L'écriture comme expérience – Jean-Noël Pontbriand et Michel Pleau

Art

Le temps mangeur d'hommes – Gabriel Lalonde
Autour de Jean McEwen – Gaston Roberge
Autour de Marcelle Ferron – Gaston Roberge
Autour de Yves Gaucher – Gaston Roberge
Autour de H.W. « Jimmy » Jones – Bernard Tanguay
Signes Premiers – Gilbert Erouart et Michel Noël
Christophe Ménager – Muriel Carbonet

Théâtre

Évangéline et Gabriel – Marc Gagné
Le père noël, la sorcière et l'enfant – Marc Gagné
Les Verdi – Marc Gagné

Poésie

Le cycle de l'éclair – Élaine Audet
Murmures d'avant-pluie – Élaine Bégin
Nos corps provisoires – Micheline Boucher
De feu et de froid – Micheline Boucher
Sans doute tu es l'aube – Michel Boutet
D'une saison à l'autre – Lisa Carducci / André Duhaime
N'être Rien – Marc Chabot
Ô nord, mon amour – Jean Désy
Kavisilaq, Impressions nordiques – Jean Désy
Mémoire des eaux – Josée Fournier
Éclats de bourgeons – Yon Bann Tikal Boujon / Eddy Garnier
Le chant des retrouvailles – Jean-Pierre Gaudreau
Journal d'exil, Récit des premiers jours – Michel R. Guay
Au présage de la mienne – Jeanne Hyvrard
Les spectateurs du silence – Monique Laforce
Une chaise où s'asseoir – Monique Laforce
Jeux de brume, Vertiges – Catherine Lalonde
L'amante océane – Gabriel Lalonde
L'amour de l'une, Anticosti – Gabriel Lalonde
L'amour doux, Eau de femme – Gabriel Lalonde
L'amour feu, Journal poétique d'un amour fou – Gabriel Lalonde
Le cœur en sablier – Gabriel Lalonde
Les sexes ivres – Gabriel Lalonde
Lettres à la mort, Les nuits du cœur – Gabriel Lalonde
Toi que jamais je ne termine – Gabriel Lalonde
D'un bol comme image du monde – Werner Lambersy
Errances – Carol Lebel
L'espoir du doute – Carol Lebel
Petites éternités où nous passons – Carol Lebel
Ailleurs sur nos lèvres – Micheline Martineau
Le ciel commence par une ivresse – Micheline Martineau
Le saule cassé – Alain Morrier
Le relief du silence – Carol Bernier / Alain Morrier
Anastasie ou la mémoire des forêts – Sylvie Nicolas
Soudain ton rire en ce siècle – Guy Parent
Blanche saison d'agonie – Mélanie Perreault
Dans le vertige des corps – Anne Peyrouse
Regards sur le poème – Michel Pleau
L'aveu tout simple d'un visage – Michel Pleau
Éléonore éléonore – Lorraine Pominville
Fragments d'argile, En marge de Gilgamesh – Lorraine Pominville

Achevé d'imprimer
en septembre 2000 sur les presses
de l'imprimerie H.L.N.
de Sherbrooke.